In 8 weken zomerproof!

Doe je mee?

De Bikini Challenge
Mieke Kosters

Afvallen met heel veel **Zonnige motivatie & inspiratie**
Lichte zomerse recepten · Slimme slanke tips
Concrete bikiniopdrachten

© 2014 Mieke Kosters
© 2014 Uitgeverij Carrera, Amsterdam

Eerste druk april 2014
Tweede druk mei 2014

Ontwerp omslag en binnenwerk: Villa Grafica
Fotografie: Shutterstock

ISBN 978 90 488 21280
NUR 443

www.uitgeverijcarrera.nl
www.miekekosters.nl

Inhoud

Voorwoord
Kickstart in 8 weken: lekker eten en relaxed op het strand!
7

De detox
Klaar voor de start
10

Food-to-love
Wat eet jij deze 8 weken?
33

No excuses
Ik ben hier de baas
48

Me-time
Ik zorg goed voor mezelf
60

In charge
Ik herpak mezelf na een tegenslag
72

On the move
Ik blijf in beweging
88

Keep on going
Ik blijf slank
100

Zomerproof
Ik ben trots
113

'If it doesn't challenge you, it won't change you'

Kickstart in 8 weken: lekker eten en relaxed op het strand!

Zomerproof zonder streng dieet

De zomer komt eraan. Tijd om die extra kilo's voorgoed kwijt te raken. Nee, niet met een ingewikkeld en superstreng dieet. Wel door simpelweg minder te eten. Door meer te genieten van wat je wél eet en nieuwe slanke gewoontes aan te leren. Bewust kiezen voor lekker eten en een bikinilijf: dat kan! Jij wordt zelf de baas over je eetgedrag.

Dag uitstel, hallo resultaat

Met de Bikini Challenge maak je een echte kickstart. Je weet allang dat je wat gezonder wilt eten, wat meer wilt sporten, maar het komt er maar niet van. Je begint elke maandag opnieuw. Dát gedrag zet je dankzij de Bikini Challenge overboord. Je gaat het dóén! Dit is jouw start op weg naar een nieuwe, gezonde, actieve en lekkere levensstijl. Waarin genieten van lekker eten en slank-zijn samengaan. Op die manier omgaan met eten is ook na 8 weken houdbaar. Voor altijd.

De Bikini Challenge: je dagelijkse portie motivatie

'Ja' zeggen tegen de Bikini Challenge betekent 100 procent com-mitment: je leest je dagelijkse portie motivatie, maakt de bikini-opdrachten, probeert de recepten en deelt je ervaringen. Je doet het niet alleen!

Bruisend en relaxed op het strand

Ik weet uit ervaring hoe ontzettend goed het voelt om in je bikini naar de zee te lopen, zonder je buik direct te bedekken. Hoe heerlijk het is om in je strandstoel te genieten van een glas witte wijn, zonder schuldgevoel. Hoe leuk het is om wél de energie te hebben om te beachballen met je kinderen of te rennen langs de zee, zonder dat volle, plofferige gevoel na te veel eten.

In deze Bikini Challenge doorbreek jij je eigen dikmakende ge-woontes. Je doorziet je excuses, eet wat je wilt en wordt slank. Dat is heerlijk. *Afvallen is kiezen: nu overeten, of straks dat bikinilijf.* In deze challenge gun jij jezelf die slanke versie van jouw.

Aan de slag!
Ik wens je heel veel succes, en vooral veel plezier, zon, energie en lekker eten!

Slanke groet,

Mieke Kosters

P.S. Ik geef je in dit boekje heel veel praktische slanke zomertips, zonnige motivatie, lichte zomerrecepten en concrete bikini-opdrachten. Voor meer verdieping en achtergrond over de psycho-logie achter je eetgedrag – waarom doe je wat je doet, waarom heb je moeite met kiezen en volhouden – raad ik je aan mijn boek *Ik ken mezelf en ben slank* te lezen.

Week 1

DE DETOX

Zo sterk als een olifant:
ruk je los van oude (eet)gewoontes

Als het over afvallen en slank blijven gaat, moet ik altijd denken aan een verhaal dat ik ooit hoorde: in India leggen ze jonge olifantjes aan een sterke ketting om ze in gevangenschap te houden. Die jonge olifanten worden volwassen met het idee dat die ketting sterker is dan zijzelf, terwijl een volwassen olifant zo'n ketting eenvoudig los kan rukken.
Met dit idee in mijn achterhoofd heb ik door het hele boek heen een klein olifantje gezet. Als geheugensteuntje. Zodat je weet dat je de eetgewoontes die jij jezelf in de afgelopen jaren hebt aangeleerd (de ketting) ook gewoon los kunt laten. Jij kunt keuzes maken. Jij kunt slank zijn. Deze zomer en alle zomers erna!

Detox – Mindset

Ik mag alles eten: ik wil niet langer overeten

Saté, rosé en slank: hoe is het mógelijk?

Ik keek vroeger met argusogen naar van die slanke types die konden eten en drinken wat ze wilden; ja, ook Franse kaasjes en roseetjes. Ze kwamen nooit aan. Ik behoorde helaas tot het andere kamp. Ik hoorde bij de pechvogels, bij de dikkere figuren. Ik kwam van de wind al aan. Ik moest, alleen al om maar een beetje toonbaar te zijn, een eeuwige strijd met lekker eten voeren. Vreselijk oneerlijk vond ik dat.

Doe als die dunne vriendin

Toen ik na de geboorte van mijn tweede kind opnieuw gewicht wilde verliezen, had ik geen zin in wéér een nieuw dieet. Ik besloot daarom eens echt naar slanke mensen te kijken. Ik kwam erachter dat pech en geluk helemaal niet zoveel met mijn gewicht te maken hadden. Mijn slanke vriendinnen deden simpelweg heel veel dingen anders dan ik:

'Ik mag alles eten, ik wil niet langer overeten!'

- Op een feestje nam mijn slanke vriendin twee bitterballen en daar had ze het over: 'O, bitterballen, die kan ik nooit weerstaan.' Voor de rest zag ik haar niets meer eten. Als ik riep: 'O, bitterballen, die kan ik niet weerstaan,' nam ik er vijf, naast blokjes kaas, chips en alle andere dingen die ik ook niet kon weerstaan.

• Bij het ontbijtbuffet in een hotel waren mijn slanke vrienden een stuk minder 'begerig' dan ik. Ik wilde álles proeven (nu ik een keer de kans had). Zij namen misschien één broodje meer dan normaal.

• Als wij een zak chips in huis hadden, overleefde die nooit de avond. Bij slanke vrienden lag chips (of drop of chocola) gewoon een week in de kast. Geopend.

Nieuw mantra: ik mag alles, wat kies ik?

Na mijn observatie van slanke mensen kon ik maar één conclusie trekken: *Slanke mensen eten wat ze willen, ze willen alleen niet te veel eten; ze kiezen.*

Ik wilde altijd alles. Elke 'nee' tegen iets lekkers voelde voor mij als enorme opoffering of prestatie. Ik was nee zeggen tegen eten of drinken niet gewend. Zo ben ik niet opgegroeid. Iets lekkers maakte vroeger bij ons thuis alles extra gezellig. Mijn moeder verstopte het snoep, omdat we anders de hele zak leegaten. Ik heb simpelweg nooit geleerd dat het ook prima is om gewoon 'nee' te zeggen. Ja, ook tegen lekkere dingen. Zonder frustratie. Niet omdat je moet afvallen, omdat je geen lekkers mag of omdat een dieetgoeroe je menu bepaalt, maar gewoon omdat je het zélf wilt. Omdat je kiest voor slank-zijn in plaats van overeten. *Bewust kiezen voor het allerlekkerste, niet meer voor al het lekkers, bleek de crux!*

> 'She turned her cant's into cans and her dreams into plans'

Je mag alles, waar kies je voor? Dat werd mijn nieuwe motto. Ik werd zelf de baas over mijn eetgedrag. Ik genoot veel meer van wat ik wel at. En ik was niet langer de hele tijd bezig met al die lekkere dingen die 'arme ik' niet mocht. Zo werd ik slank en blijf ik slank. En dat kun jij ook!

Can you do it? Yes you can!

Maarrr… deze slanke mindset krijg je niet cadeau. Je moet er wel wat voor dóén! Zoals met alle dingen in het leven die de moeite waard zijn, lukt het je niet je eetgedrag te veranderen zonder inzet en doorzetten. In deze Bikini Challenge begeleiden we je 8 weken lang heel concreet en praktisch om zelf aan de slag te gaan. Door je eigen slanke keuzes te maken en af te vallen!

Hoezo: je 'mag' geen bolletje ijs?

Zeker als je een ervaren diëter bent, heb je tijdens de Bikini Challenge ongetwijfeld nog wel eens de neiging jezelf stiekem toch een beetje zielig te vinden: *Meh, Ik wil ook twee bolletjes ijs, maar ik mag het niet.* Dit soort 'arme ik'-gedachten zijn typische dieetgedachtes en ook wel een beetje peutergedrag; ik wil het tóch nu (f**k de langetermijnconsequenties)!

Jij neemt in deze challenge iedere keer je eigen verantwoordelijkheid en draait die dieetgedachten consequent om: *Ik mag best twee bolletjes ijs, ik mag alles. Waar kies ik nu voor?*

Eerste Hulp Bij Dieetdenken

Om je te helpen alert te worden op je 'arme ik'-dieetgedach-tes, vind je hier een aantal veelvoorkomende dieetgedachten en hun slanke tegenhanger:

NIET ZO	MAAR ZO
• Ik moet streng zijn	• Nee zeggen levert me een bikinilijf op
• Ik houd het niet vol	• Keuzes maak je elke keer opnieuw
• Ik heb gezondigd	• Ik heb een keer wat te veel gegeten (nou en)
• In de vakantie ga ik los	• Ik kies ervoor in de vakan-tie wat meer te eten
• Ik mag echt geen sateetje	• Ik mag alles, ik bepaal dat zelf
• Als ik aan chips begin, kan ik niet stoppen	• Ik bepaal of en hoeveel chips ik eet
• Ik wil wel, maar het lukt me niet	• Ik doe het niet, maar dat kan ik veranderen

Van hongerend afzien naar lekker afvallen

Afvallen tijdens de Bikini Challenge gaat dus niet over niet-mogen, moeten en afzien. Je volgt geen dieet. Jij mag alles! Jij bent de baas over wat je wel en niet eet. Het gaat om bewust kiezen voor je lange-termijndoel, voor je bikinilijf en voor het allerlekkerste.

En, het gaat om het dóen. Al is het in eerste instantie slechts voor 8 weken. Het 'nu' in actie komen, maakt dat je je al heel snel slank(er), trots en energiek voelt. Daarom ben jij over 8 weken echt zomerproof!

Detox – Bikiniopdrachten
Ga voor je slanke doel: 4x positief kiezen

OPDRACHT 1

Bepaal je ideaalbeeld

Waarom doe jij mee aan de Bikini Challenge? Waar droom jij van als het gaat om eten en gewicht? Van welk beeld van jezelf word jij blij? Als je een doel hebt waar je enthousiast van wordt, kom je eerder in beweging. Je moet wel gemotiveerd zijn en een zekere noodzaak zien om te kunnen veranderen.

Hoe loop jij deze zomer over het strand?

Stel: ik ben een fee en ik maak met één beweging van mijn toverstaf je droom waar. Hoe loop jij dan deze zomer op het strand? Wat draag je, hoe beweeg je, wat eet je, wat drink je, hoe reageren anderen op je, wat denk je, hoe voel je je?

Zoek plaatjes bij je droombeeld

Zoek een aantal plaatjes op Internet, tussen je oude foto's of in tijdschriften die passen bij de beelden die zojuist in je hoofd opkwamen. Maak daar een mooie collage van. Kies drie kernwoorden die staan voor jouw verlangen en zet ook die op je collage. Dat is je doel.

'Ik bepaal
wat en
hoeveel
ik eet'

Vervang drie dikke gewoontes door slanke gewoontes*

Je weet nu waar je naartoe wilt. Volgende vraag is: hoe kom je daar? Je bereikt alleen je doel als je op een effectieve, slimme en motiverende manier je eetgedrag verandert. Kortom: je maakt alleen dromen waar wanneer je in actie komt. Als je wat dóét!

Alleen nog maar groene smoothies en havermout? Gaat niet werken...

Het klinkt wel oké en het is gezond, maar vanaf nu alleen nog maar ontbijten met havermout of groene smoothies, lunchen met slow food-salades, dineren met quinoa en tofu, niets anders dan noten en vijgen tussendoor eten, nooit meer een wijntje drinken en elke dag een uur hardlopen, werkt dus niet. Alles in één keer rigoureus veranderen houd je simpelweg niet vol! Daarvan word je vroeg of laat rebels en raak je gefrustreerd.

Het werkt het aller, allerbeste om nú te besluiten drie dikke eet-gewoontes te vervangen door slanke gewoontes. Dat is haalbaar, blijvend en effectief. En, geloof me, al moeilijk genoeg.

Top 50 dikke gewoontes: welke drie doorbreek jij?

1. Tweede keer opscheppen
2. Niet kunnen stoppen met chips, chocola of drop
3. Elke dag alcohol drinken
4. Bij moeheid niet slapen, maar eten
5. Bij honger altijd wat snaaien
6. Eenzaamheid/verdriet/boosheid/angst wegeten
7. Te snel eten

8. Onbewust proppen, niet genieten van wat je eet
9. Geen structuur in de maaltijden of eetmomenten
10. Te veel avondeten
11. 's Avonds op de bank: *me-time* met te veel lekkers
12. Geen koffie (of thee) zonder koekje
13. Te weinig fruit of groente eten
14. Eten en gezelligheid koppelen
15. Op feestjes niet van de hapjes afblijven
16. Op verjaardagen altijd taart nemen
17. In een restaurant het er helemaal van nemen
18. Te vet, te suikerrijk en/of te zout eten
19. Veel frisdrank/zuivelproducten drinken
20. Altijd bord leegeten (niet voelen of je al vol zit)
21. Net voor het slapen gaan toch nog snaaien
22. Toch een extra cracker/broodje nemen bij lekkere trek
23. Zoetigheid nemen na het avondeten
24. Te veel (snelle) koolhydraten nuttigen
25. Niet ontbijten
26. Te veel ontbijten
27. In het weekend losgaan
28. Na twee wijntjes geen rem meer hebben
29. Te veel in huis halen bij bezoek
30. Te weinig vis eten
31. Te veel beleg op het brood doen
32. Restjes van de kinderen opeten
33. Blijdschap vieren met veel eten en/of drinken
34. In gezelschap overeten
35. In je eentje overeten
36. Altijd nog eentje willen

'You have to expect things from yourself, before you can do them'

37. Alles willen proeven
38. Na een misser direct opgeven; het is nu toch al verpest
39. Als het moeilijk wordt denken: boeien, het is niet belangrijk
40. Nooit een traktatie (kunnen) weigeren
41. Steeds niet (echt) beginnen
42. Te streng/kritisch zijn voor jezelf
43. Bikiniopdrachten afraffelen of über-
    haupt niet doen
44. Denken dat je het toch niet kunt,
    slank worden
45. Jezelf belonen met eten
46. Te gefocust zijn op de weegschaal
47. Geen tijd maken om te koken (te
    vaak wat halen)
48. Niet kunnen genieten van iets
    'slechts' zonder schuldgevoel
49. Snel opgeven
50. Jezelf zielig vinden omdat je wilt afvallen

Misschien weet je na het lezen van deze lijst direct welke drie dikke gewoontes jij in de Bikini Challenge doorbreekt. Nog niet echt? Geef dan alle voorbeelden een cijfer voor de mate waarin ze op jou van toepassing zijn en (eventueel) in hoeverre ze invloed hebben op het bereiken van je doel. Kies de drie gewoontes met de hoogste cijfers.

En nu hardop en luid a.u.b.
Zeg het maar eens hardop voor jezelf. 'Mijn prioriteit de komen-de 8 weken is afvallen door' en dan noem je de tegenhanger van jouw 'dikke' gewoontes. Bijvoorbeeld:

1. 'Een uur voor het slapen-
   gaan niet meer te eten.'
2. 'Niet op te geven, maar vol
   te houden na een misser.'
3. 'Vaker gezond en licht te
   koken, minder vaak wat te
   halen of te laten bezorgen.'

Lastig? Zorg voor een strak, slank plan

Bedenk voor elke dikke gewoonte een slank alternatief.
Dat kan zijn in gedrag en/of in
gedachten.* Bijvoorbeeld: ik
doorbreek mijn dikke gewoontes door consequent slank te
denken en slank te doen op
moeilijke momenten:

1. Bij lekkere trek binnen het
   uur voor het slapen ga ik
   eerder naar bed of neem ik
   een kop thee. Ik ben dan gewoon moe. Eten helpt niets.
2. Na een misser accepteer ik
   dat ik fouten mag maken en herpak ik de regie.
   Slank-zijn (en afvallen) is een proces. Ik ben aan het leren en
   proberen. Eén moorkop brengt de wereldvrede niet in gevaar.
   Ik pak de draad weer op en ga door: dan word ik slank(er)!

*Kijk op www.miekekosters.nl/Bikini Challenge voor meer voorbeelden van
slanke alternatieven voor dikke gewoontes.

Romige aardbeismoothie

- 1 ½ kop aardbeien
- 1 avocado
- 1 citroen
- 1 eetlepel chiazaden,
  geweekt in water
- 8 blaadjes verse
  munt
- water naar behoefte

Doe alle ingrediënten
tegelijk in de blen-
der en blend tot er
een mooie gladde en
romige roze smoothie
is ontstaan. Als je de
smoothie te dik vindt,
voeg dan wat
extra water toe.

3. Ik kook vaker. Bij de wekelijkse boodschappen bepaal ik wat ik deze week eet. Ik ga er deze 8 weken rustig voor zitten en zoek lekkere recepten uit. Eventueel tref ik in het weekend al wat voorbereidingen (en vries het in). Druk, moe, geen zin in koken zijn niet langer excuses!

En... go-go-go!

Besluit nú om de komende 8 weken deze slanke gewoontes toe te passen. Schrijf ze ergens op, zet ze in je agenda, mail ze dagelijks of elke week naar jezelf, plak ze in de keuken, op de spiegel (naast je collage), etc. Zorg dat je de nieuwe slanke gewoontes deze 8 weken niet kunt vergeten. Benoem ze sowieso bij elk olifantje in dit boek.

JIJ BESLUIT ER NU VOOR TE GAAN!

'A year from now, you will wish you had started today'

Kom in beweging*

OPDRACHT 3

Sporten zorgt ervoor dat je sneller in een positieve flow komt. Je voelt je sterker, krachtiger en positiever als je beweegt. Dat maakt gewoontes doorbreken en nee zeggen tegen overeten veel makkelijker. Het is dus superbelangrijk om je Bikini Challenge in beweging te komen. Waar houd je van? Kies in ieder geval een sport die bij je past en die je leuk vindt. Lekker in de buitenlucht? Dan pak je ook nog het positieve effect van meer licht en zon mee. Doel is om minimaal drie keer per week te bewegen. Dat kan variëren van wandelen, hardlopen en fietsen tot zwemmen, bootcamp en krachttraining. Alles hangt af van je

*In week 6 ga ik dieper in op beweging en sport.

huidige bewegingspatroon. Sport je al (minimaal) drie keer in de week, dan ga je gewoon door en hoef je niets te veranderen.

Je kunt altijd wel íéts doen

Doe je nog niets, of te weinig? Dan start je nú. Dit is een challenge. Een kickstart. Er zijn geen excuses om niet mee te doen. Deze 8 weken beweeg jij drie keer per week, bovenop je 'normale beweging'. Je kunt altijd iets doen. *Plan nú je vaste trainingsdagen en tijden in je agenda!*

OPDRACHT 4

Zoek een bondgenoot

Uit wetenschappelijk onderzoek is gebleken dat samen met anderen afvallen veel effectiever is dan ploeteren in je eentje. Dus vraag hulp en maak samen dromen waar! Zoek een vriendin, collega, partner of groepje mensen en ga gezamenlijk de uitdaging aan. Maak bijvoorbeeld een eigen WhatsApp-groep en deel je ervaringen, tips en resultaten met elkaar. Dat werkt enorm motiverend!

Vitaliserende ananassmoothie

- ½ rijpe ananas, geschild, in stukjes
- 2 stengels bleekselderij, in stukjes
- 2,5 cm verse gemberwortel, geschild en in stukjes

Doe de stukjes ananas met de stukjes bleekselderij in de blender. Hak de gemberstukjes fijn en voeg toe. Pureer tot een dikke, felgele smoothie. Verdun eventueel met water.

Online mede-Challengers vinden

Wil je dit liever niet samen doen met mensen die je kent of ken je niemand die zich aan wil sluiten? Sluit je dan online aan bij mede-Challengers. Kijk op www.miekekosters.nl/bikini challenge voor alle moge-lijkheden.

Havermoutontbijt met blauwe bessen en superfoods

- 200 ml ongezoete sojamelk
- 40 g havermout
- 1 el chiazaad
- 1 el lijnzaad
- 1 el gojibessen
- flinke hand blauwe bessen

Doe de sojamelk met de havermout, chiazaad, lijnzaad en gojibessen in een kom en roer goed door. Laat afgedekt een nacht in de koelkast staan. Voeg de volgende ochtend de blauwe bessen toe.

Zij is al zomerproof

summer love!!!

De beste tips & trucs

Slanke zomertip: Meet & weet

Een van de succesfactoren bij het veranderen van gedrag is het meten van resultaten. Afvallen is kiezen tussen je langetermijndoel en je kortetermijnbehoefte of 'lekkere trek'. Je wordt en blijft gemotiveerd om je eetgedrag bewust aan te passen als je resultaat ziet van je moeite. Je 'kop in het zand steken' is er niet bij deze 8 weken. Jij noteert wekelijks je resultaat.

Bereken je BMI

Je BMI is een indicator van je gezondheid. Een volwassen persoon met een gezond gewicht heeft een BMI tussen de 18,5 en 25. Tussen de 25-30 spreek je van overgewicht en boven de 30 van obesitas.

'She decided to live the life she imagined'

Check je taille

Naast je BMI is je middelomtrek ook een belangrijke indicator van je gezondheid. Daarnaast is er een extra reden om ook je omvang in centimeters bij te houden. Je gewicht wordt door meer dan alleen je eetgedrag bepaald. Af en toe houd je meer vocht vast (voor een menstruatie, na zout eten, bij warm weer) en dan

Gezond gewicht

Met de Body Mass Index (BMI), ook Quetelet Index (QI) genoemd, kun je je gewicht beoordelen. Zet een kruisje bij je lengte en bij je gewicht. Trek met hulp van een liniaal een lijn van je lengte naar je gewicht; trek de lijn door naar de laatste kolom. Daar kun je je BMI aflezen. Je kunt de BMI ook berekenen door het lichaamsgewicht (in kilogrammen) te delen door het kwadraat van de lichaamslengte (in meters).

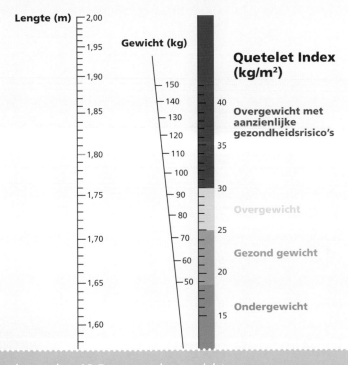

BMI lager dan 18,5:	ondergewicht
BMI 18,5-25:	gezond gewicht
BMI 25-30:	overgewicht
BMI hoger dan 30:	ernstig overgewicht (obesitas)

is je gewicht hoger dan dat je misschien hoopt. Het kan heel goed zijn, dat je in zo'n 'zware' week wel centimeters kwijt bent. Uiteindelijk zijn centimeters zowel voor je gezondheid als voor je bikinilook superbelangrijk.

TAILLEOMVANG	VROUWEN	MANNEN
Goed	Minder dan 80 cm	Minder dan 94 cm
Oppassen	80 - 88 cm	94 - 102 cm
Verhoogd risico	88 cm en hoger	102 cm en hoger

Houd je gewicht wekelijks bij

Jij krijgt een mooie dalende grafiek deze 8 weken. Misschien maak je hier en daar een kleine pas op de plaats, maar als je minder eet, drie dikke gewoontes doorbreekt en sport, dan bereik jij je doel. De snelheid waarmee je afvalt is per persoon verschillend en hangt onder meer af van:

- je geslacht (mannen verliezen sneller gewicht dan vrouwen)
- je leeftijd (hoe ouder je bent, hoe langzamer het gaat; maar het gaat wel!)
- je huidige gewicht (ben je nu behoorlijk zwaar, dan val je sneller af dan als je al wat slanker bent)

'I can accept failure, but I can't except not trying'

- je genen, aanleg, verbranding (de ene mens valt sneller af dan de andere. Dat zij zo. Slank(er) worden kan vrijwel iedereen. (Oké, er zijn uitzonderingen maar 99 van de 100 mensen met overgewicht eten gewoon te veel.)
- je keuzes: elke dikke gewoonte die je doorbreekt is winst! Winst voor je gezondheid en voor je gewicht. De ene gewoonte heeft natuurlijk wel een directer effect op je gewicht dan de andere.

TIP 2

Slanke zomertip: Beloon jezelf wekelijks

Een duidelijk doel formuleren is heel belangrijk als je wilt afvallen. Het is alleen niet genoeg. Je zult ook in actie moeten komen. Dat kost moeite. En is, zeker in het begin, niet altijd makkelijk. Je moet je wel ergens overheen zetten. Dat doe je makkelijker als je voor je nieuwe gedrag wordt beloond. Natuurlijk is je belangrijkste beloning: het bereiken van je langetermijndoel. Maar het houdt je gemotiveerd als je al eerder beloningen ontvangt.

Nee zeggen: wat een kick

Sta na elke slanke keuze (nee zeggen tegen overeten) eens stil bij hoe je je voelt. Niet op het moeilijke moment zelf, maar een minuut of twee na je keuze. Wedden dat je dan behoorlijk blij met jezelf bent? Dat is sowieso een beloning die je keer op keer krijgt. Als je hier bewust(er) bij stilstaat is veranderen, en dus ook afvallen, meer en meer de moeite waard. En: hoe vaker je slanke keuzes maakt, hoe makkelijker het wordt.

Jezelf verwennen: de moeite waard

- Bedenk ook materiële beloningen voor jezelf. Eventueel deel je die samen met je slanke bondgenoten. Zorg ervoor dat je jezelf niet alleen beloont bij een goed resultaat op de weegschaal. Het gaat vooral om het belonen van je gedrag, om

het dóén. Kortom: jij beloont jezelf en/of je bondgenoten elke week omdat:

- je het volhoudt
- je het doet
- je nieuwe inzichten over jezelf en over eten hebt gekregen
- je het beter doet dan vroeger (al zeg je maar een paar keer vaker 'nee')

'The best way to get something done, is to begin'

Voorbeelden van beloningen: (samen) naar de film gaan, een middagje vrij nemen om over het strand te wandelen, een kookworkshop volgen, een wijnproeverij bezoeken, shoppen, je voeten flip-flop-proof laten maken bij de pedicure, een massage boeken bij een spa, naar de kapper of uitgebreid in bad gaan.

Laagjesontbijt

- verse vruchten, naar keuze
- 30 g havermout
- 1 el pompoenpitten
- 250 ml magere yoghurt
- snufje kaneel
- lepeltje honing

Neem een groot glas en begin met een laagje verse vruchten. Strooi er vervolgens een laagje havermout en een laagje pompoenpitten over. Dek dit af met een laagje yoghurt. Herhaal dit tot je glas vol zit. Voeg vervolgens een snufje kaneel en een lepeltje honing toe.

Je resultaat na week 1

**Jij bent klaar voor de start en komt in actie.
Want alleen acties leiden tot resultaat**

Challenge jezelf

**Twijfel je nog? Stel jezelf
deze 3 vragen:
1. Waarom zou je het niet
proberen?
2. Wat levert niet
beginnen je op?
3. Hoe voel je je over 8
weken als deze Bikini
Challenge je lukt?**

En… actie!

Week 2

FOOD-TO-LOVE

De beste dieetgoeroe ben je zelf

Noem een dieet en ik ken het. Ik heb in mijn leven heel wat geprobeerd. Van pillen die wonderen beloofden tot shakes die heus alle essentiële voedingstoffen bevatten, maar meestal niet zo lekker (lees: smerig) waren. Ik heb tijden geen 'snelle' koolhydraten gegeten en ben ook druk in de weer geweest met de meest pure supercreaties waardoor ik dagelijks sowieso een uur langer in de keuken stond. Alles tijdelijk. Want: veel te extreem. Inmiddels heb ik al jaren een eigen, gezonde basis en ben ik slank. Ik mix en match alle trends, hypes en lekkere dingen naar believen door elkaar: smoothies, crackers en pasta's, water en wijn, chocola en noten, groente en fruit. Gevarieerd en met mate. En alleen wat mij aanstaat. Eigenlijk doe ik dus eindelijk gewoon normaal met eten. Dat werkt. En wat is dat relaxed en lekker!

....✳..

Food-to-love – Mindset
Niet meer al het lekkers, ik neem alleen het allerlekkerste

....

6 eyeopeners om effectief en relaxed af te vallen

1. Eten en drinken is 'slechts' brandstof voor je lichaam. Daar heb je nu eenmaal niet zo heel veel van nodig. Eet of drink je toch te veel, en/of gebruik je eten en drinken verkeerd (eet je uit beloning, troost, verveling, onrust, gezelligheid, etc.) dan kom je aan.

2. Het is belangrijk om een gezonde basis te hebben en géén rigide, externe regels te volgen van een of andere dieetgoeroe. Je bent geen kind meer. Ik ben niet je moeder die bepaalt wat jij eet. Jij bent volwassen en kiest zelf. Jij mag alles!

3. Je denkt niet langer in 'goed' of 'fout' eten. Maar in: 'voldoende eten' versus 'overeten'. Twee stukjes chocola bij de thee zijn niet slecht, juist prima. En voldoende. Eet je de hele reep, dan ben je aan het overeten.

4. Je lichaam is geen kliko. Het hoeft niet altijd op. Het is vele malen belangrijker om te leren luisteren naar je lichaam dan om blindelings of uit gewoonte je bord leeg te eten. We leven niet meer in schaarste. Eten is er meestal in overvloed. Leer jezelf aan om langzaam te eten en je vaker af te vragen: wil ik echt nog meer of is het vooral lekkere trek en ben ik eigenlijk voldaan? Na tien minuten wachten heb je vrijwel altijd toch voldoende gehad.

5. Je food-to-love-menu past in je leven (gezin, alleenstaand, student, gepensioneerd) en is geen al te rigoureuze verandering ten opzichte van je huidige eetpatroon.

6. Je nieuwe food-to-love-eetpatroon is vooral superlekker. Want als je minder eet, eet dan tenminste wel die dingen waar je echt van houdt. Dat is houdbaar voor deze Bikini Challenge én daarna.

Top 5 zomerfruit

Fruit van het seizoen is niet alleen goedkoper, maar ook een stuk lekkerder. Probeer fruit zo veel mogelijk in zijn geheel te eten in plaats van uitgeperst te drinken: met geperst fruit krijg je hetzelfde aantal calorieën binnen, terwijl je minder snel verzadigd raakt. Geniet verder vooral van de heerlijke smaken en de vrolijke kleuren, van deze top 5 word je toch vanzelf blij?

1. aardbeien
2. sinaasappelen
3. nectarines
4. abrikozen
5. kersen

Top 5 slanke zomerijsjes

Een zomer zonder ijs is als een feest zonder ballonnen. Maar het ene ijsje is het andere niet en ook de lichtere varianten zijn hartstikke lekker. Zo bevat sorbet slechts een derde van het aantal calorieën, een zesde van het vet en de helft van de suikers in roomijs. Dat is pas makkelijk besparen!

1. Sorbetijs (bolletje): 45 kcal

2. Waterijsje: 50 kcal

3. Yoghurtijs (bolletje): 67 kcal, 1 gram verzadigd vet

4. Schepijs (bolletje): 110 kcal, 8 gram vet, waarvan 5 verzadigd

5. Softijs (ca. 70 gram): 155 kcal, 8 gram vet, waarvan 5 verzadigd

[Bron: http://www.gezondheidsnet. nl/alles-over-afvallen roomijs-sorbe- tijs-en-waterijs]

BLT-sandwich

• 2 sneetjes geroosterd waldkornbrood
• 1 el 3%-vet mayo
• 3 uitgebakken plakjes bacon
• 1 tomaat in plakjes
• 50 g ijsbergsla in reepjes

Beleg voor een lichtere variant de sandwich met kipfilet in plaats van spek en snijd er ¼ avocado in reepjes bij: Bacon Lettuce Tomato wordt Chicken Lettuce Tomato.

Food-to-love – Bikiniopdrachten
Eet minder. Zonder frustratie

Ontwerp je eigen superlekkere eetpatroon én val af
Het draait deze week om bewustwording, inzicht en kiezen voor
het allerlekkerste. Dat kost je wat extra tijd. Houd daar rekening

mee; het is maar een week. Een week waarin je die essentiële start maakt met een gezond en lekker eetpatroon vol met jouw eigen food-to-love. Waarmee je, ook als de challenge voorbij is, vast niet wilt stoppen.

Eet alleen nog achten, negens en tienen: de rest is zonde

Als je tijdens de Bikini Challenge bewust nadenkt over wat je eet en drinkt, weet je voor de rest van je leven precies waar je echt van houdt. Dan gaat kiezen voor alleen het allerlekkerste steeds meer vanzelf. Geef je happen daarom de komende weken een cijfer. Jij eet alleen achten, negens en tienen. Daalt je hap onder de acht? Leg het dan weg. Zonde! Jij wilt veel liever dat bikinilijf dan overeten met dingen waar je niet écht van geniet. Dus niet dat voorverpakte fabrieksijsje, wel de vers gemaakte gelato van de ijssalon.

Houd een food-to-love-dagboek bij: elke kruimel telt ;)

Noteer deze week alles wat je eet (ja, ook het laatste restje ijs van je dochter, het mes met pindakaas en het kleine dropje). Dat kan heel makkelijk met een app, via een website (zoals Fatsecret of Eetmeter van het Voedingscentrum) of in een dagboek. Bijhouden hoeft deze Bikini Challenge slechts een week (het mag natuurlijk langer). Hierdoor word je je nog bewuster van je keuzes en kies je makkelijker voor lekkere én slankere producten.

OPDRACHT 7

Maak deze week je eigen food-to-love-week. Ja, dat ijsje mag!

Plan je ideale eetweek vol met lekkere, gezonde recepten, fruit, groente en af en toe een lekker tussendoortje. Ja, ook gewoon een ijsje, kaasje of witbiertje. Kies per dag bewust voor of/of in plaats van en/en. Deze hele week eet je alles waar je van houdt, niet alles hoeft nú. Ga er even voor zitten vanavond. Bekijk de menusuggesties in dit boek, google lekkere recepten, kies (!), plan alles in en bereid het voor. Maak ieder eetmoment speciaal. Zorg voor tijd en ruimte om optimaal te genieten van wat je hebt gekozen.

'I don't diet, I just eat according to my goals'

'Slanke mensen eten ook niet de hele dag worteltjes'

Voor

na

Ineke is al zomerproof: -15 kilo

Nooit meer op dieet en volop genieten!

'Hoezo 'wat mag wel' en 'wat mag niet'? Eindelijk ben ik niet meer gefocust op wat wel of niet verstandig is. Dankzij *Het geheim van slanke mensen* en de training staat eten niet meer centraal in mijn leven. Een fantastische ervaring. Ik geniet veel intenser van wat ik wel eet en blijf op het gewicht waar ik me prettig bij voel: -15 kilo, zónder stress.'

Food-to-love – De beste tips & trucs

Slanke zomertip: Bereken je ideale calorie-inname: handig bij het samenstellen van je menu

Twijfel je of je met je ideale keuzes toch nog te veel eet? Ben
je bang op deze manier niet of onvoldoende af te vallen? Dan
helpt het om een ideale calorie-inname voor jezelf te bepalen en
daar rekening mee te houden bij het bepalen van je weekmenu.
Daarvoor gebruik je een simpele rekensom: het aantal kilo dat je
nu weegt X de kcal van je bewegingstype.

Welk bewegingstype ben jij?

39 kcal	37 kcal	33 kcal	31 kcal	29kcal
Topsporter (dagelijkse training, zware lichamelijke belasting)	Fanatieke hobbysporter 3-5 keer per week flinke lichaamsactiviteit	De relaxte vrije-tijdssporter 2-3 keer (vooral in het weekend) actief met spor-ten of in en om het huis	De gemiddelde luiwammes Kantoorwerk en niet bijzonder (1-2 keer per week) actief (de gemiddelde Nederlander)	De bankzitter Zit, ligt veel, komt weinig van bank of stoel af.

Zo maak je de som

Stel: je weegt 65 kilo en bent een relaxte vrijetijdssporter. Je calo-
riequotum per dag is dan: 70 X 33 = 2310. Als je +/- een halve kilo
per week af wilt vallen, moet je daar zo'n 500 kcal per dag onder
zitten (voor een kilo per week zo'n 1000 per dag).

Ga niet crashen

Onder de 1200 kcal per dag voor een vrouw en onder de 1700 voor een man, is niet aan te raden. Dan spreek je over een crashdieet. Dat houd je niet vol – of hooguit tijdelijk.

Slanke zomertip: Bepaal je strategie voor feestjes en etentjes. Wel een wijntje? Dan geen hapje of voorgerecht

Bedenk van tevoren hoe je deze Bikini Challenge omgaat met feestjes, terrasjes of barbecues. Neem bijvoorbeeld maximaal drie hapjes, geen taart. Of: geen hapjes, wel wijntjes. Jij wilt zomerproof zijn, dan kies je bewust voor wat je werkelijk wilt: het allerlekkerste en een bikinilijf. Je gaat wederom van en/en naar of/of. Waar houd je meer van: brood vooraf of een dessert? Twee voorgerechtjes en een toetje of een voor- en hoofdgerecht, etc. Als je je strategie vooraf bepaalt, is de kans dat je je aan je voornemen houdt vele malen groter dan als je denkt: ik zie het dan wel. Ook hiervoor geldt: tijdens deze challenge doe je dit heel bewust. Wedden dat je dan na deze 8 weken makkelijker minder blijft eten!

'Bewust kiezen smaakt zoveel lekkerder'

Slanke zomertip: Kopieer de trucs van ervaren dunnerds

In mijn praktijk vraag ik altijd welke *quick wins* het meest hebben geholpen bij het afvallen. Oftewel: welke kleine aanpassingen in je eetpatroon hebben groots effect?

Top-10 quick wins

1. Geen vruchtensapjes, frisdrank en zuivel meer drinken. 'Ze vullen niet, en je wordt er wel dik van. Ik vind water, thee en af en toe een light frisdrank heerlijk.'

2. Minder vlees eten. 'Ik gebruik nu twee in plaats van drie kipfilets en meer groente in de rijst en pastagerechten voor mijn gezin. Er heeft nooit iemand over geklaagd en we besparen een hoop calorieën.'

3. Bij een feestje of etentje vooraf compenseren. 'Het is makkelijk om lichter te lunchen en "nee" te zeggen tegen tussendoortjes als ik weet dat ik 's avonds lekker uit eten ga.'

4. Meer eiwitten eten tegen honger. 'Een ei of yoghurt bij het ontbijt houdt me langer verzadigd.'

5. Vaker soep eten. 'Soep bevat relatief weinig calorieën en is lekker en vullend.'

Gambasalade

- 6 rauwe gamba's
- 50 g rucula of andere sla
- 1 limoen
- 1 teen knoflook
- ½ bosje peterselie
- peper en zout
- scheut olijfolie

Pel de gamba's en maak ze schoon. Pers de limoen. Pel de knoflook en snijd in schijfjes. Hak de peterselie fijn. Meng de olie, knoflook en peterselie en voeg naar smaak limoensap, peper en zout toe. Marineer de gamba's minimaal 1 uur in dit mengsel. Bak de gamba's in een paar minuten gaar. Verdeel de rucola over het bord en leg daar de gamba's op. Gebruik het vocht uit de pan als dressing.

6. Minder vet gebruiken bij het bakken. 'Staat er in het recept vier eetlepels olijfolie, gebruik ik er drie, zo maak ik al mijn recepten eenvoudig slanker.'

7. Kiezen voor gezonde, magere alternatieven. '20+ kaas van de kaasboer is superlekker! En het verschil tussen crème fraîche en demi-crème fraîche proef ik niet.'

8. Kleinere porties en minder 'luxe' dingen. Ook als er bezoek komt. 'Standaard taart serveren hoeft niet. Een simpel koekje bij de koffie is ook prima.'

9. Meer groente. 'Ik maak nu standaard twee soorten groente klaar. Zo eten we meer groente dan voorheen, het vult en is gezond.'

10. Vaker noten als tussendoortje. 'Ik weet dat noten heel vet zijn, dus ik neem geen handenvol, maar alleen al een klein handje vult enorm en is heerlijk.'

Je resultaat na week 1

Jij eet normaal, net als slanke mensen: je kiest zelf voor lekker, gevarieerd en niet te veel. Daarmee val je af en geniet je zonder schuldgevoel. Bewust kiezen smaakt veel lekkerder!

Challenge jezelf

Twijfel je nog? Stel jezelf deze 3 vragen:

1. Wat levert te veel blijven eten je op?
2. Hoe houdbaar zijn diëten voor jou?
3. Hoe voel je je als je vanaf nu minder en lekkerder gaat eten?

En... actie!

Week
3

NO EXCUSES

'Ik kan nooit stoppen als ik eenmaal aan chocola begin' (en nog 103 andere smoesjes)

Nu ik slank ben, kan ik met terugwerkende kracht concluderen dat alle argumenten waarmee ik vroeger verklaarde dat afvallen me niet lukte, simpelweg excuses zijn! Excuses waarmee ik goedpraatte dat ik niet deed wat ik werkelijk wilde. Dat had ik op het moment suprême lang niet altijd door; ik geloofde zelf wat ik zei. Als ik bijvoorbeeld voor iets lekkers stond, zei ik: 'Ik hou nu eenmaal te veel van lekker eten.' Als het te gezellig was: 'Echt slank-zijn lukt in mijn familie toch niet.' Als ik meer chocola wilde, zei ik: 'Ik kan nooit stoppen als ik eenmaal aan chocola begin.' En in tijden dat het me wat tegenzat, geloofde ik dat afvallen onmogelijk is als je niet lekker in je vel zit. Kortom: excuses, excuses, excuses.

Nu weet ik: er zijn altijd tig redenen om toch te veel te eten. De belangrijkste reden om dat niet te doen en zelf de regie te pakken, is dat je alleen daarmee uiteindelijk je ideaalbeeld bereikt. Helaas voelt juist dat ideaal op zo'n moeilijk twijfelmoment mijlenver weg. Dat neemt niet weg dat je wel degelijk een keuze hebt. Je kunt, ook als het moeilijk is, altijd de regie pakken: nee zeggen kán. Het wordt bovendien steeds makkelijker. Maar feit blijft dat je door die eerste moeilijke momenten heen moet. De Bikini Challenge is precies daarvoor bedoeld. Ontdek deze week dat ook jij al je excuses aan de kant kunt zetten als je dat werkelijk wilt. En besef hoe ontzettend waardevol en leuk het is om de regie te pakken! Zelf bepalen wat je eet en je niet laten leiden door allerlei drogredenen geeft je direct een sterker, energieker en slanker gevoel. Het enige wat je moet doen om dit zelf te ervaren: simpelweg beginnen. *No excuses!*

'You don't have to be great to start, but you have to start to be great'

No excuses – Mindset
Alle redenen om te veel te eten zijn excuses

Ho, geen uitvluchten meer

In week 3 van je Bikini Challenge doe je precies wat je van plan bent. Iedereen kan dat heus wel een week in zijn leven. Kortom, of je excuses nu goed, minder goed, waar, onwaar, angstig, boos, vanuit teleurstelling of vanuit externe factoren ontstaan, is niet relevant.

Deze week geldt: no excuses! Dat levert je heel veel op (en de kilo's gaan eraf)

Je ontdekt een aantal belangrijke dingen als je je excuses niet accepteert:

1. Je kunt meer dan je denkt.
2. Je kunt het best verdragen om een weekend geen wijn te drinken/minder hapjes te kiezen/je te houden aan een plan. De wereld vergaat niet en jij bent nog altijd dezelfde persoon.
3. Het is helemaal niet erg om het af en toe moeilijk te hebben met minder eten. Daar word je niet minder van, daar word je sterker en slanker van!
4. Je gebruikt toch meer excuses dan je eigenlijk dacht. En voortaan trap je daar dus niet klakkeloos meer in.

> 'If you do what you've always done, you'll get what you've always gotten'

Minder excuses = meer afvallen

Deze ervaringen of ontdekkingen helpen je de komende weken verder; met het doorbreken van je drie dikke gewoontes, met vaker nee zeggen tegen alle happen onder de 'acht' en door wel te gaan sporten (ook al heb je niet altijd zin).

Afvallen, what the hell? Niet aan toegeven!

Wat doe je als je toch in je eigen smoesjes blijft trappen? Tsja, wat denk jezelf? Je doet mee aan de Bikini Challenge voor jezelf. Dus: bedenk wat je ervan kunt leren en ga door!

Wat je in ieder geval niét doet is toegeven aan het zogenaamde *'what-the-hell*-effect' (wat maakt het uit, deze week is nu toch al mislukt). Het enige effectieve wat je kunt doen is accepteren dat je te veel hebt gegeten, dat het niet helemaal gegaan is zoals je hoopte of verwachtte en dus accepteren dat je daarom teleurgesteld bent. Het zij zo. Er zijn ergere dingen in de wereld. Jij pakt gewoon de draad weer op. Je compenseert eventueel door de extra kcal in mindering te brengen op je volgende maaltijd of eetmoment. Maar hoe dan ook hangt het succes van jouw poging niet af van één misser (of twee). Het wel of niet slagen van je challenge hangt af van hoe je met zo'n misser omgaat. (Zie ook week 5 – In charge.)

> **Blijf je jezelf saboteren?**
>
> In mijn boek *Ik ken mezelf en ben slank* gaat het om al je excuses: hoe ontstaan ze, welk saboteurs herken je in jezelf en hoe leer je deze saboterende gedachtes af? Je krijgt daarin heel veel uitleg, nieuwe inzichten en verdieping. Doe op de website miekekosters.nl **de saboteurtest**. Die test helpt je deze week alerter te zijn en niet toe te geven aan excuses.

'Stop saying
I wish,
start saying
I will'

No excuses – Bikiniopdrachten
Nee, nee en nog eens nee tegen te veel eten

OPDRACHT 8

Maak elke dag een eetplan en beschouw dat als heilig

Net als vorige week denk je van tevoren na over wat je kiest. Iedere ochtend – of de avond ervoor – overzie je de volgende dag en maak je een plan. Dat menu is heilig die dag. Wat er ook gebeurt.

Uiteraard is dit niet de manier waarop je op de lange termijn met eten om wilt gaan; het is heel rigide. Maar deze week doe je het met een heel belangrijk doel: ervaren wat de NO EXCUSES-houding je oplevert. Zowel in gewichtsverlies als in gevoel over jezelf (zie redenen bij mindset).

OPDRACHT 9

Noteer je excuus-gedachten op moeilijke momenten. Dan prik je ze makkelijker door

Door bij te houden wat je op een lastig moment – als je de neiging hebt tot overeten – denkt en zegt tegen jezelf, krijg je beter inzicht in je 'normale' excuses en

overtuigingen. Deze week geef je er natuurlijk niet aan toe! Maar het oefenen met het herkennen ervan is heel zinvol.

No excuses! Echt niet!

Dussss: ook al is er wat bijzonders te vieren, krijg je een verrassing, trakteert je collega, ben je moe, raak je geblesseerd of ben je verdrietig? *No excuses; stick to the (bikini) plan!*

Gemengde salade met peer en walnoot

- ½ rijpe peer, geschild
- ½ citroen, sap
- flinke hand rode druiven
- 25 g walnoten, geroosterd
- 40 g gemengde sla
- 25 g geitenkaas
- 1 el balsamicoazijn
- 1 el honing
- peper en zout

Snijd de peer in plakjes. Sprenkel er wat citroensap over zodat ze niet bruin worden. Was de rode druiven en snijd doormidden. Maak een dressing van de azijn, honing, peper en zout. Verdeel de sla, plakjes peer en rode druiven over het bord. Verkruimel de geitenkaas erover, bestrooi met de walnoten en maak af met de dressing.

Nadia is al zomerproof: -6 kilo

Zelfs tijdens de vakantie viel ik af

'De eerste week had ik trek. Daar moest ik wel even aan wennen. Vanaf de tweede week leek mijn lichaam gewend aan minder eten en verdwenen de kilo's supersnel. Zelfs tijdens die vakantie viel ik af, ondanks de croissants, dagelijkse barbecue en ijsjes. Belangrijkste eyeopener: alle redenen om toch te veel te eten zijn smoesjes. Tip: neem JUIST dingen die je van jezelf 'niet zou mogen' eten (en waar je wel heel erg van houdt): gevulde koeken, chips, magnums... Dat zorgt ervoor dat je tevreden bent en dan gaat het afvallen veel beter!'

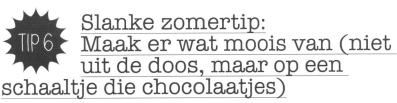

No excuses
De beste tips & trucs

Slanke zomertip: Maak er wat moois van (niet uit de doos, maar op een schaaltje die chocolaatjes)

Plan gewoon wat lekkers in. Zorg wel dat je dat lekkers op een mooie manier presenteert. Stel: er staat in je plan dat je op woensdagavond twee bonbons neemt bij de thee. Leg die chocolaatjes dan op een mooi schaaltje. Eet ze niet uit het pak, maar maak er wat bijzonders van. En geniet heel bewust. Hapje voor hapje. Dan houd je je beter aan de voorgenomen hoeveelheid, zodat je afvalt met lekker eten!

Slanke zomertip: Stel eetvrije zones in: geen gesnaai meer achter de laptop

Spreek met jezelf een aantal eetvrije zones af, bijvoorbeeld voor de tv, in bed en/of achter de computer eet je nooit meer. Dat voorkomt hap-slik-weg-gedrag. Bewust plaats en ruimte maken voor je eten maakt het makkelijker om je aan je afslankplan te houden en te genieten.

TIP 8 / 9

Slanke zomertip: Dealen met honger Dit zijn twee tips in één:

A: In onze westerse maatschappij is een beetje honger helemaal niet erg. Iedereen is vaak nogal panisch bezig om honger te voorkomen. Ik geef toe dat het niet per se een prettig gevoel is. Maar **honger betekent dat je afvalt**. En hoe erg is dat dan precies? Honger gaat gewoon voorbij! De meeste slanke mensen zijn gewend aan een soort hongergevoel. Die raken daarvan niet van slag. Die denken: honger? Mmm, ik ga over een uurtje eten, dat overleef ik nog wel, ik neem nu nog niets.

B: **Honger? Nou en, ik eet nu niet!** Dat 'Nou en, ik eet nu niet' is een heel handig zinnetje tijdens je No Excuses-week. Bij elk excuus dat je bedenkt zeg je het tegen jezelf. 'Het is zo lekker.' En dan: 'Nou en, ik eet nu niet.' 'Alle anderen nemen ook': 'Nou en, ik eet nu niet.' 'Dit is een bijzondere situatie': 'Nou en, ik eet nu niet.' 'Ik houd het toch geen 8 weken vol': 'Nou en, ik eet nu niet.'

'Impossible is not a fact, it's an opinion'

Je resultaat na week 3
Wow! Je kunt veel meer dan je denkt

Challenge jezelf

Twijfel je nog? Stel jezelf deze 3 vragen:
1. Pas je door al die smoesjes beter in je bikini?
2. Wat houdt je tegen om dit één week te proberen?
3. 'Are your excuses more important than your dreams?'

En… actie!

Week
4

ME-TIME

Niet egoïstischer, juist blijer en slanker

Nog steeds ben ik ontzettend blij met wat de regie op mijn eetgedrag en dus slank-zijn me allemaal oplevert: niet alleen ben ik tevreden als ik in de spiegel kijk, koop ik graag kleding die ik leuk vind en voel ik me aantrekkelijker. Ik ervaar ook geen dagelijkse strijd meer met eten en heb veel minder overeetdrang. Bovendien ben ik actiever, energieker en krachtiger. En dat uit zich in veel meer dingen dan alleen in mijn gewicht: ik sport, ben sociaal actief (ook met mijn kinderen), productiever op mijn werk, ik kom beter voor mezelf op en besteed meer aandacht aan mijn uiterlijk. Grappig genoeg is dit ook een soort 'kip-ei' verhaal: de positieve resultaten die ik ervaar bij het slank(er)-zijn, zet ik in een moeilijkere periode juist actief in. Bewuste aandacht voor De Grote Vijf tegen eetdrang:

1. Bewegen, 2. Tijd voor mezelf, 3. Contact met anderen, 4. Activiteiten die je energie opleveren en 5. Persoonlijke verzorging, zorgt ervoor dat mijn overeetdrang weer minder wordt. En dat maakt het makkelijker om in actie te komen. Ik blijf niet langer hangen in machteloosheid. Ik gun mezelf de regie.

....✻..

Me-time – Mindset
Jezelf en je echte behoeftes prioriteit maken werkt direct (voor iedereen)

....

Wat gun jij jezelf?

Wat betekent me-time voor jou? In de Bikini Challenge staat het voor: jezelf en je echte behoeftes een week lang centraal zetten. Oftewel: onrust, boosheid, angst, zorgen, verdriet, blijdschap et cetera niet uiten in overeten, maar stilstaan bij het waarom.

Stop de down time, ga voor me-time

Als je deze week dit soort emoties hebt, besteed je – in plaats van aan eten – bewust aandacht aan De Grote Vijf tegen eetdrang en dus aan jezelf. Bijvoorbeeld: je voelt je onrustig en weet niet goed waardoor dat komt (of hebt geen zin om daarover na te denken). Veel mensen die te zwaar zijn gaan op zo'n moment overeten.

Ze blijven maar naar de kast lopen om nog wat te snaaien. Stop! Dat is geen *me*-time. Dat is *down*-time, daar voel je je achteraf alleen maar rot over: schuldig en zwak. Deze week ben je juist extra lief voor jezelf. En dus kies je niet voor overeten, maar doe je iets wat echt fijn is. Op de korte én op de lange termijn. Je kiest op zo'n 'overeetmoment' bijvoorbeeld voor een vriendin bellen, sporten, wat leuks kopen, in bad liggen, in je dagboek schrijven, mediteren, ontspannen lezen, je nagels lakken, de kast opruimen, je werk afmaken, een knuffel vragen, een gesprek aangaan etc. Je kiest voor De Grote Vijf tegen eetdrang. Daarmee maak je jezelf weer prioriteit. Je laat je niet langer leiden door externe factoren of onprettige gevoelens, je pakt de regie over en voelt je weer sterker, slanker en 'in control'. Je kiest voor jezelf: ME-TIME.

Courgettesoep met gerookte zalm

- 1 kleine ui, gesnipperd
- 1 teentje knoflook, fijngesneden
- 1 courgette, in blokjes
- ½ el olijfolie
- peper
- 2 dl bouillon
- 6 blaadjes verse munt
- ½ citroen, sap
- 75 g gerookte zalm, in reepjes
- 1 el magere kwark

Fruit de ui en de knoflook zacht in de olijfolie. Voeg de blokjes courgette en wat peper toe en schenk er de bouillon bij. Breng aan de kook en laat de courgetteblokjes in 10 minuten gaar worden. Voeg de blaadjes verse munt toe en het citroensap. Pureer de soep met een staafmixer of in de keukenmachine. Roer de zalm door de soep en maak eventueel af met een eetlepel magere kwark.

Me-time – Bikiniopdrachten
En nou is het jouw beurt

OPDRACHT 11

Maak je eigen Grote Vijf tegen eetdrang: wat ga je voor leuks doen?

(1) Altijd al een keer een bootcamp in de buitenlucht willen proberen? Doe een proefles. **(2)** Regel deze week minimaal drie uur tijd voor jezelf. Tijd waarin je helemaal niets moet (niet voor je werk, gezin, partner). Doe in die uren wat je op dat moment het allerliefste wilt. Of dat nu even slapen, lezen, mijmeren of een massage is, alles is goed. **(3)** Zin om weer eens lekker bij te kletsen met een vriendin? Plan een avond. **(4)** Doe activiteiten waar je energie van krijgt. Probeer een aantal dingen af te maken die je continu uitstelt. Of dat nu iemand bellen, een kast opruimen, je foto's ordenen, administratie doen of iets anders is. Met uitstel-gedrag verlies je energie. Deze week krijg jij energie van wat je doet! **(5)** Voor per-soonlijke verzorging kun je vast van alles bedenken: van shoppen, een zomerna-gelpedicure, tot een komkommermasker of kapperbezoek. Kies iets waar je blij van wordt. Dan heb je veel minder last van overeetdrang!

'Omdat je het waard bent'

Durf het, doe het: 'Ik ben er even niet deze week'

Deze week ervaar je wat het je oplevert om jezelf prioriteit te maken. Ja, ook boven de zorg voor je kinderen, partner en alle anderen. En nee, dan heb ik het niet over de primaire zorg (eten, drinken, slapen, vaste afspraken), dan gaat het over al die extra 'moetens' die best een weekje uitgesteld of overgenomen (hulp vragen) kunnen worden (extra wasje, hele avond helpen bij huiswerk, thuisblijven omdat man overwerkt, zelf overwerken, etc.). Waarschuw je directe omgeving van tevoren: deze week plan ik dingen in die ik graag wil en ben ik er dus niet altijd zoals jullie gewend zijn. En ook al vind je dit misschien supermoeilijk of ben je zelfs een beetje bang voor de reacties; je hebt een goed excuus. Je doet deze challenge en daar wil je je aan houden. Het is bovendien maar een week. Dat kan iedereen, inclusief jijzelf, prima handelen.

Zet een time-out in, zelfs met je hand al in die zak chips

Toch last van eetdrang? Sta even stil en bedenk wat er echt speelt. Welke van de Grote Vijf kan helpen op dit moment? Eten helpt sowieso niets (of slechts 30 seconden). *Als honger niet je echte probleem is, is eten nooit de oplossing*. Aandacht voor de Grote Vijf leidt tot minder eetdrang, meer me-time en dus meer regie.

'Be ~~with~~ somebody who makes you happy!'

oor

na

Niki is al zomerproof: -23 kilo

Afzien? Niets voor mij!

'Diëten vond ik maar burgerlijk. Waarom afzien op een borrel of een terras? Ik ben geen suffe doos… Inmiddels ben ik gekapt met al die smoesjes en 23 kilo lichter. Ik gun mezelf dat bikinilijf, mét elke dag prosecco. Santé!'

Me-time
De beste tips & trucs

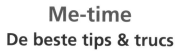

Slanke zomertip: Moe? Ga naar bed

Heb je vaak 's avonds laat de neiging tot overeten? Heel veel mensen verwarren moeheid met lekkere trek. Ze eten omdat ze moe zijn. Herken je dit? Ga naar bed! Voldoende slaap is heel belangrijk in een gezonde en slanke levensstijl. Als je uitgerust bent, pak je makkelijker de regie. Bovendien maak je tijdens je nachtrust leptine aan, een hormoon dat zorgt voor een verzadigd gevoel na het eten. Als je kort slaapt, daalt de hoeveelheid van dit hormoon in je lichaam en ga je langzaamaan steeds meer naar binnen werken. Dus blijf niet hangen (omdat je niet ongezellig wilt zijn of te vroeg naar bed gaan suf vindt). Dit gaat om je echte behoeftes. En 'behoefte aan slaap' is gelukkig eenvoudig op te lossen. Kleine tip: om lekker te slapen kun je vlak voor je naar bed gaat beter niet te veel eten en geen alcohol drinken.

'If you're searching for that one person that will change your life, take a look in the mirror'

Slanke zomertip: Dress for succes (faken mag) - De juiste bikini

De kroon op al je harde werk is natuurlijk… een nieuwe bikini! Kies je er een die goed bij je figuur past, dan ben je optisch ook alweer een paar kilo lichter. Neem voor je gaat shoppen eerst een moment om voor de spiegel te gaan staan en je min-en pluspunten te bekijken. Met deze punten in je achterhoofd wordt het iets makkelijker om je weg te vinden in de bikini-jungle.

• Heb je een peerfiguur (kleine borsten, platte buik, brede heupen en vollere bovenbenen), ga dan voor een bikinitop met een drukke print en/ of in een opvallende kleur. Match je broekje met het topje, maar dan in een ef-fen kleur. Een druk broek-je met strikjes en ruches benadrukt juist de breedte van je heupen.

Tiramisu voor twee

• 35 g magere kwark
• 1 ei
• 1 el basterdsuiker (of zoetstof)
• 1/3 pak lange vingers
• 1 dl sterke koffie, afgekoeld
• 15 ml Amaretto
• 1 tl cacao

Splits het ei en doe in twee aparte kommen. Klop het eiwit stijf. Doe de Amaretto en suiker erbij en klop schuimig. Klop de kwark erdoor. Spatel het eiwit luchtig door het eigeel-mengsel (niet kloppen). Doop de lange vingers in de koffie en leg de helft op de bodem van een schaal. Schep de helft van het kwarkmengsel erover en leg er weer een laag lange vingers over. Dek af met de rest van het kwarkmengsel. Bestrooi met cacao en zet de schaal afgedekt mini-maal 4 uur in de koelkast.

- Heb je een appelfiguur (vol aan de bovenkant met slanke benen), kies dan vooral voor een bikinitop met goede ondersteuning. Verder kun je het beste kiezen voor een bikini met rechte bandjes in plaats van een halterbikini. Smalle bandjes geven te weinig ondersteuning en door brede bandjes lijken je borsten groter. Door een broekje met horizontale streep lijken je heupen wat breder.

[Bron: http://www.wearefashion.nl/2013/05/kies-de-juiste-bikini-voor-jouw-figuur]

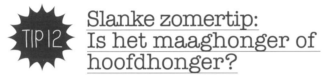

Slanke zomertip: Is het maaghonger of hoofdhonger?

Last van eetdrang of honger? Trek een denkbeeldige lijn onder je hoofd. Waar zit je trek? In je hoofd of in je maag? Heb je echte maaghonger? Bedenk even of je nog kunt wachten tot het eten. Heb je hoofdhonger? Eten helpt niet. Er zit iets anders achter deze trek. Bedenk wat het is, accepteer dat het zo is en kies voor iets anders dan overeten. Overeten helpt je van de wal in de sloot. De Grote Vijf tegen eetdrang helpen je werkelijk verder richting je doel.

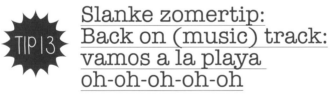

Slanke zomertip: Back on (music) track: vamos a la playa oh-oh-oh-oh-oh

Voel je je af en toe wat minder gemotiveerd? Zakt de drive hier en daar weg? Maak een playlist met opzwepende, motiverende, inspirerende of misschien wel melige zomernummers. Luister, dans, *feel the music*. Muziek helpt je positiever te denken en, weer back on track, richting je doel te komen.

Je resultaat na week 4

It's just me, myself and I: jij kiest voor jezelf. Je hebt daardoor veel minder last van overeetdrang en pakt makkelijker de regie

Challenge jezelf

Twijfel je nog? Stel jezelf deze 3 vragen:
1. Wie help je als je aan het overeten slaat?
2. Wie kan jouw leven veranderen?
3. Wie wil je zijn?

En... actie!

Week 5

IN CHARGE

Te veel ijsjes en patat: *so be it*

Dat ik nu slank ben, betekent niet dat ik nóóit meer te veel eet of losga op de ijsjes of Franse frietjes. Misschien is mijn grootste verandering wel dat ik totaal anders omga met te veel eten. Vroeger ge-beurde er, na een ongeplande snaaibui of uit de hand gelopen feestje – onbewust – dit in mijn hoofd: *zie je wel, daar ga ik weer, het lukt mij nooit, ik heb geen discipline. Pffff, nu moet ik weer extra streng zijn. Die strijd, dat houdt toch geen mens vol. Slanke mensen hebben het mooi makkelijk. Ik ben nu eenmaal niet zo en dat kan ik maar beter accepteren. Ik leef maar één keer, dan mag ik toch ook wel genieten van een extra wijntje en hapje?* En dus at ik de dag erna, en erna, en erna ook te veel. Met als resultaat dat ik inderdaad weer dikker werd en dat versterkte het hele patroon. Ik zakte dus na te veel eten heel snel in een vicieuze 'arme-ik'-cirkel. Wat ik nu anders doe? Ik veroordeel mezelf niet langer, maar relativeer na een keertje te veel eten: *kan gebeuren; slanke mensen eten*

die strijd houd niemand vol, ik kan beter genieten' → 1 Te veel eten → 2 vergelijken, 'balen, teleurstelling' → 3 jezelf veroordelen 'ik ben zwak, dit moet anders' ← 4 excuses verzinnen : 'die strijd houd niemand vol, ik kan beter genieten'

arme ik

ook niet de hele dag worteltjes. Gebeurt het me dat ik de regie twee of drie dagen achter elkaar een beetje kwijt ben en dus ongewenst te veel eet en/of drink, dan accepteer ik dat én grijp ik in: *oké, ik had het blijkbaar even nodig, het was lekker, maar nu is het weer mooi geweest. Wat wil ik nu echt? Ja, ik zit in een gezellige (of juist zware) periode, maar hoe dan ook, is het nu tijd om uit de machteloosheid te stappen, overeten maakt me ontevreden, eruit stappen blij.* En dan kom ik in actie: Ik zeg weer 'nee', ik houd weer even bij wat ik eet, val terug op mijn basiseetpatroon, en/of geef mijn happen een cijfer. Die extra kilo is er dan binnen drie dagen weer af. Uit de cirkel stappen, zelf verantwoordelijkheid nemen en in actie komen werkt direct.

In charge – Mindset
'Het lukt niet' bestaat niet. 'Ik doe het niet' wel...

Geef jezelf een schop onder je kont en kom in actie. Je bent niet zielig
De grote mindset-doorbraken in de In Charge-week zijn: (1) geloven dat je *altijd* in actie kunt komen en (2) dat als keuze zien, niet als opoffering of strijd.

Ik zeg altijd: 'Het lukt niet bestaat niet als het gaat om afvallen; ik doe het niet bestaat wel'. En gelukkig heb je dat 'doen' zelf in de hand. Vroeger geloofde ik niet dat ik het kon: mezelf die 'schop onder de kont geven' als het ging om (lekkers) eten. Nu weet ik zeker dat ik wat verander als het nodig is: omdat ik heb ervaren hoeveel leuker het is om in actie te komen, dan te verzwelgen in eten of mijn kop in het zand te steken (net doen of er niets aan de hand is, maar van binnen echt wel weten dat je niet op de goede weg bent).

Dat 'in actie komen', die regie terugpakken, is af en toe wel moeilijk (en gaat heus niet altijd in één keer goed). Je moet je ergens overheen zetten, het soms een aantal keer opnieuw proberen. Sommige mensen noemen

dat strijd. Ik noem dat logisch, normaal. Dat hoort erbij. Veel dingen die de moeite waard zijn in het leven (denk aan: relaties, opvoeden, werk) vergen bewuste aandacht en af en toe doorzetten. Slank(er) zijn vergt, in deze tijd van overvloed, keuzes maken. Dat doet 99 procent van de slanke mensen ook. En omdat ze nee zeggen tegen overeten niet ervaren als enorme opoffering, strijd of reuzeprestatie, maar als keuze, oogt het soepeltjes en makkelijk (en grappig genoeg is het dan ook makkelijker). Maar geloof me, ze denken er wel bewust over na en doen er moeite voor. Dat is geen 'arme ik', dat is prima: 'Ik kies ervoor!'

. . . . ✳ . . . .

In charge – Bikiniopdrachten
Herpak jezelf na een dip

You can't have a rainbow, without a little rain

OPDRACHT 14

Bereid je voor op een tegenslag (sorry, die komt geheid)

In deze week bedenk je vast hoe jij omgaat met de (volgende) tegenslag, die je ongetwijfeld krijgt, of het nu morgen is of pas over een paar maanden. Dus: stel, je raakt de regie kwijt, hebt een snaaibui, voelt je moedeloos, wilt opgeven, vul maar in. Maak nu alvast een plan, en bewaar dat op een toegankelijke plek. Het plan bestaat uit de volgende onderdelen:

Accepteer (iedereen snaait weleens chips)

Het gaat niet vanzelf, je hebt een beetje tegenslag nodig, om echt vertrouwen te krijgen, om doorzetten te leren, om slank te worden. Het kan gebeuren. Alle slanke mensen eten af en toe te veel.

Stap uit de arme-ik-modus (moeilijke momenten horen erbij)

Zet bewust een streep onder je depri stemming. Het is gebeurd, tijd om uit de 'arme-ik'-cirkel te stappen en te kiezen voor wat je echt wilt. Bedenk: *Ik kan altijd wat doen om dit te veranderen. Wat wil ik nu echt? Ik herpak de regie.*
Het af en toe moeilijk hebben maakt je niet minder, het maakt je slank. Schrijf deze mindset in je eigen woorden op.

Watermeloen-salade met feta en munt

- 1 plak watermeloen, in stukken
- 30 g magere feta, in blokjes
- 8 blaadjes verse munt, in stukjes gescheurd
- 1 el citroensap
- 1 el grof gehakte pecannoten
- zwarte peper, grofgemalen

Doe de stukken watermeloen in een kom en verkruimel de feta erboven. Schep de munt en het citroensap erdoor. Bestrooi de salade met de grof gehakte pecannoten en zwarte peper.

Pak de draad weer op (daar word je blij en slank van)

Bedenk hóé jij in actie komt. Wat helpt jou om de regie weer terug te pakken? Besluit de acties die je opschrijft ook werkelijk te doen als het zover is. Dat is geen straf, dat is fijn. Je komt in actie, voelt de energie weer stromen en wordt weer slanker! Een aantal opties:

- bijhouden wat je eet
- dagboek schrijven
- ideaalbeeld bekijken, opnieuw maken
- sporten
- happen een cijfer geven
- hulp vragen
- menu maken voor morgen of hele week (recepten zoeken, aandacht besteden)
- muziek luisteren
- deze week geen lekkers in huis halen

'You can't stop the waves, but you can learn how to surf'

OPDRACHT 15

Relativeer & focus: vul het bikinioverzicht in

Om te relativeren en te blijven focussen op de grote lijn (niet 'elk foutje' leidend te laten zijn), hebben we een bikini-overzicht voor je gemaakt. Speciaal voor deze laatste maand van de challenge. Vul dagelijks in hoe het ging. Rood is 'slechte' dag, oranje is 'redelijke' dag en groen is bikinidag. Na een rode dag gebruik je het plan van de bikiniopdracht hierboven. Gun het jezelf om de regie weer terug te pakken. Dan bewijs je het zelf: ook al heb je een aantal rode dagen deze challenge, je valt prima af als je van de dag erna (en/of daarna) weer een bikinidag maakt!

'Don't look back, you're not going that way'

Zij is al zomerproof

In charge
De beste tips & trucs

Slanke zomertip:
Zie afvallen als je huis
opruimen; dat doe je meestal
ook zonder mokken

Wat helpt om je over een drempel heen te zetten en de regie weer terug te pakken, is afvallen vergelijken met je huis opruimen. Vaak heb je 's avonds ook geen zin meer om de afwasmachine in te ruimen of de tafel leeg te maken. Toch doe je het meestal. Omdat je weet dat het nog erger is om 's ochtends in de troep wakker te worden. Dat maakt je niet zielig, opruimen hoort bij het leven. Hetzelfde geldt voor nee zeggen tegen nog een bordje salade, een tweede gevulde paprika of derde glas rosé, je moet je er wel even toe zetten, maar dat hoort erbij. Al na een minuutje voel je je zoveel beter en slanker omdat je nee hebt gezegd. En je valt af. Dat is echt de moeite waard!

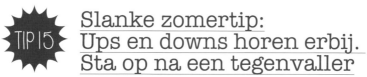

Slanke zomertip:
Ups en downs horen erbij.
Sta op na een tegenvaller

Succesvolle mensen hebben één ding gemeen: ze staan op na een tegenslag. Dat is dus ook essentieel als je je slank(e) doel wilt bereiken. Mensen denken vaak dat succesvol afvallen in een rechte lijn naar beneden gaat (en hopelijk is dat ook zo voor jou), maar de realiteit is meestal anders. Je staat af en toe stil, valt niet af of komt zelfs ietsje aan. Pas als je na zo'n teleurstelling of tegenslag opstaat, de regie terugpakt en doorzet, bereik je succes!

Succesvol afvallen

Hoe mensen denken dat het gaat.

Succesvol afvallen

Hoe het werkelijk gaat

Sushi

Voor 4 rollen:
- 1 kopje sushirijst
- ½ avocado, in reepjes
- 1 komkommer, in reepjes
- handje radijzen, in reepjes
- 2 el sushiazijn
- noribladeren
- tahin
- blaadjes sla
- sojasaus

Was de sushirijst en laat deze een halfuur in water staan. Kook de rijst 10 minuten met het deksel op de pan. Na het koken laat je de rijst 15 minuten staan. Doe de rijst in een kom en laat dezeaf- koelen. Mix de sushiazijn erdoor. Neem een vel nori en leg deze op een sushimatje. Bekleed het vel voor 3/4 met de rijst. Bestrijk met een beetje tahin. Leg het slablad erin en dan een paar reepjes avocado, komkommer en radijs. Rol de sushi op en snij in circa acht stukjes. Herhaal met het andere noriblad. Serveer met sojasaus.

TIP 16

Slanke zomertip: Snaaibehoefte? Doorloop het maak-je-niet-dik-schema

Voel je een bunkeraanval opkomen of vind je het lastig de verjaarstaart af te slaan? Om je te helpen met slank kiezen, heb ik dit schema ontwikkeld. Doorloop het en je kunt met opgeheven hoofd (en lekker eten) verder op je slanke doel af.

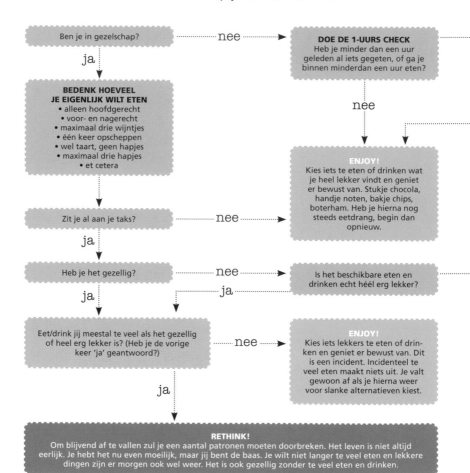

Ben je in gezelschap? ········ **nee** ········►

DOE DE 1-UURS CHECK
Heb je minder dan een uur geleden al iets gegeten, of ga je binnen minderdan een uur eten?

ja

BEDENK HOEVEEL JE EIGENLIJK WILT ETEN
• alleen hoofdgerecht
• voor- en nagerecht
• maximaal drie wijntjes
• één keer opscheppen
• wel taart, geen hapjes
• maximaal drie hapjes
• et cetera

nee

ENJOY!
Kies iets te eten of drinken wat je heel lekker vindt en geniet er bewust van. Stukje chocola, handje noten, bakje chips, boterham. Heb je hierna nog steeds eetdrang, begin dan opnieuw.

Zit je al aan je taks? ········ **nee** ········►

ja

Heb je het gezellig? ········ **nee** ········►

Is het beschikbare eten en drinken echt héél erg lekker?

ja ········ **ja**

Eet/drink jij meestal te veel als het gezellig of heel erg lekker is? (Heb je de vorige keer 'ja' geantwoord?) ········ **nee** ········►

ENJOY!
Kies iets lekkers te eten of drinken en geniet er bewust van. Dit is een incident. Incidenteel te veel eten maakt niets uit. Je valt gewoon af als je hierna weer voor slanke alternatieven kiest.

ja

RETHINK!
Om blijvend af te vallen zul je een aantal patronen moeten doorbreken. Het leven is niet altijd eerlijk. Je hebt het nu even moeilijk, maar jij bent de baas. Je wilt niet langer te veel eten en lekkere dingen zijn er morgen ook wel weer. Het is ook gezellig zonder te veel eten en drinken.

Incidenteel te veel eten maakt niets uit als je daarna weer voor slank kiest.

RETHINK!
Bedenk wat de échte reden is van je eetdrang. Het komt altijd ergens vandaan:
Emotie: rotdag, verdriet, onzekerheid, vermoeidheid, verveling.
Beschikbaarheid van eten en drinken: die lekkere kaas roept je, dat stuk chocola brandt de kast uit.
Gewoonte: bijvoorbeeld ! genieten is gelijk komen te staan aan te veel eten ! je eet 's avonds altijd voor de tv ! koken gaat niet zonder snoepen ! koekje bij de koffie

BESEF: je echte behoefte is niet eten, maar troost, gezelschap, erkenning, slaap, afleiding. Tja, dat zit er nu even niet in. Maar jij bent wél de baas over je eigen eetpatroon. Jij wilt niet langer te veel eten. Ga iets anders doen en geniet daarvan.

··· ja ···▶ Heb je écht honger? (Dus geen lekkere trek of knaagbehoefte?) ··· nee ···▶

ja

··· ja ···▶ Past extra eten nog in je planning/ kun je het later compenseren?

··· nee ···▶

RETHINK!
Een hongerig gevoel hoort er (in het begin) gewoon bij als je wilt afvallen. Het is niet anders. Gelukkig gaat dat gevoel voorbij en kun je het prima verdragen. Het goede nieuws: je valt af!

··· nee ···▶ **RETHINK!**
Eten en drinken uit gewoonte of verveling wil je niet meer. Je geniet er niet eens van. Je kunt beter op een ander moment iets echt lekkers kiezen. Gewoonten doorbreken is essentieel om blijvend af te vallen.

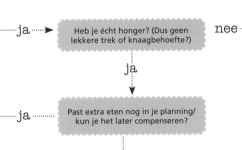

Dat hongerige gevoel gaat voorbij. en je kunt het prima verdragen.

TIP 17

Slanke zomertip: Schiet niet in paniek als de weegschaal stilstaat (hoort erbij)

Tijdens het afvallen staat vrijwel iedereen weleens een weekje stil. Dat hoort erbij. Noem het maar pech. Vaak moet je lichaam wennen aan de lagere energie-inname. Je moet als het ware even resetten. Probeer eventueel wat nieuwe variaties uit in zo'n stagnatieperiode. Eet dingen die je normaal niet neemt. Dan schrikt je lichaam op en wordt het weer geactiveerd. Ga je gewoon door met het doorbreken van dikke gewoontes, minder eten en sporten, dan val je even later echt weer verder af. Laat je dus niet ontmoedigen!

'Two steps forward, one step back, is still progress'

Je resultaat na week 5

Jij ontdekt dat je wél doorzettingsvermogen hebt. Dips zijn er om te overwinnen. Jij bent en blijft succesvol op weg richting je bikinilijf

Challenge jezelf

Twijfel je nog? Stel jezelf deze 2 vragen:
1. Wat gebeurt er als je nu opgeeft?
2. Wat gebeurt er als je toch doorzet?

En... actie!

'Wie iets wil doen vindt een middel. Wie niets wil doen vindt een excuus.'

ON THE MOVE

Haha, ik ben een hardloper geworden. En ik vind het heerlijk

Ik weet nog goed wat voor een hekel ik had aan al die hardlopers. Met: 'Daar heb je weer zo'n hype, daar doe ik echt niet aan mee,' heb ik me heel lang verzet tegen rennen. Brrr, zweten. Ik vond er niets aan. Zo was het al die tijd dat ik dikker was. Inmiddels vind ik hardlopen erg leuk. Alhoewel, hardlopen? Ik kan het beter joggen noemen: ik haal de 10 kilometer per uur nooit en verder dan 5 kilometer hoeft van mij ook niet per se. Maar dat maakt niets uit, juist niet. Want binnen die grenzen ben ik een liefhebber. Over de dijk vlakbij mijn huis, in de zon, wind door mijn haren: ik kom altijd blij terug van het lopen. Het is nu zelfs zo dat ik besef dat als ik stop met sporten, dat geen goed teken is. Als ik 'opeens' weer te druk of te moe ben om

'Succes is 1 keer vaker opstaan dan vallen'

te gaan, dan rinkelt mijn interne alarmbel. Dan moet ik weer even extra op mezelf letten, dan ga ik ergens voorbij mijn grenzen (op welk gebied dan ook). Zodra ik het sporten weer oppak, bewaak ik mijn grenzen makkelijker: ik overeet minder en kom weer in een positieve flow.

On the move – Mindset
Sporten helpt wel. En nog snel ook!

3 redenen om in de benen te komen

De mindset-challenge deze week: sporten helpt, het is goed voor me en leuk!

Het is een fabel dat je afvalt door te sporten. En toch is bewegen heel belangrijk in een gezonde en slanke levensstijl. Dat komt omdat sporten een aantal heel gunstige effecten heeft:

1. Je verbranding blijft op een hoger niveau functioneren. Dat betekent: afvallen met ietsje meer eten (zie ook slanke zomertip 3 kcal quota). En makkelijker op gewicht blijven na deze challenge.

2. Je krijgt spieren in plaats van vet. Spieren wegen zwaarder dan vet (vandaar dat je van alleen sporten geen resultaat op de weegschaal ziet). Spieren ogen wel veel strakker dan vet. Je ziet er dus beter en strakker uit als je sport.

3. Sporten heeft een heel belangrijk psychisch effect: je eet zelden een zak chips leeg als je bent gaan hardlopen 's avonds. Die zak eet je wel leeg als je toch op de bank bent blijven hangen. Sporten zet je dus direct in de bikini-stand. Je denkt positiever over jezelf, voelt je energieker en krachtiger en zegt makkelijker nee tegen overeten. En dat willen we bereiken met deze challenge. Kortom: deze 8 weken is sporten een must!

·· ✳ ··

On the move – Bikiniopdrachten
Go, go, go!

··

Doe elke dag een B&B workout (goeie billen, platte buik!)

OPDRACHT 16

Deze week ga je extra aan de slag met je buik- en bilspieren! Ben je wel je kilo's kwijt, maar hangt de boel er nog een beetje 'losjes' bij? Met elke dag een paar oefeningen voor je buik en billen verricht je wonderen! Om het je zo makkelijk mogelijk te maken zijn er diverse apps (vaak gratis) te downloaden. Zo is er de Daily Ab Workout app of de Daily Butt Workout app (dailyworkoutapps.com). Elke ochtend of avond 10 minuten oefenen met een persoonlijke digitale trainer, dat moet te doen zijn!

OPDRACHT 17

Zeg eens eerlijk: hoe actief ben je inmiddels? Heb je al een sport gekozen?

Als het goed is, kun je deze bikiniopdracht gewoon naast je neerleggen omdat je dit al doet. In week 1 gaven we je de opdracht een sport te kiezen en echt in beweging te komen. In deze bikiniopdracht checken we voor de zekerheid even of dat gelukt is? Ben je drie keer in de week aan het rennen, fietsen, bootcampen, zwemmen, wandelen??? Ja? Super! Je bent goed bezig. Nee? Dan accepteer je nu echt geen excuses meer van jezelf. Deze week is de week dat jij start! Kies een sport die je leuk vind en ga!!! Geloof me, je ontdekt hoe leuk het is om in beweging te komen. Dat werkt niet alleen letterlijk, ook figuurlijk.

Ontwaaksap

- 1 grote rauwe biet
- 2 Golden Delicious-appels
- 1 cm verse gemberwortel

Maak de bieten schoon, was de appels, schil de gemberwortel, en snijd ze in grove stukken. Doe ze in een sapcentrifuge en drink het sap meteen.

Manon is al zomerproof: -30 kilo

Slank en sportief, dat ben ik

'Lekker eten en afvallen, ik dacht niet dat het kon. Dagelijks in de sportschool, ja, dan viel ik af. Tijdelijk. Op dieet wilde ik niet: ik weigerde apart voor mezelf te koken. Dan maar dik. 'Dat is toch ook prima,' had ik mezelf aangepraat. Inmiddels weet ik beter. Ik sport nu voor de lol, geniet van eten en hervond mijn zelfvertrouwen. Ik ben 30 kilo lichter. Afvallen en jezelf zijn, voelt zó goed.'

De beste tips & trucs

Slanke zomertip: Profiteer van de zomerzon en val (makkelijker) af

Sporten is dus heel lekker en gezond. In de zomertijd heb je nog een belangrijk extra voordeel als je kiest voor buiten sporten (of wandelen): je krijgt meer licht! Zonlicht helpt om af te vallen. Je bent minder neerslachtig en hebt minder trek in zoetigheid en zelfs je verbranding wordt hoger als je meer daglicht ziet. Zonlicht bevordert bovendien de aanmaak van vitamine D. Voor je lichaam en gezondheid is dat superbelangrijk.

Slanke zomertip: Geblesseerd? Zwemmen kan bijna altijd

Als je in het gips zit, gaat deze tip niet op. Maar voor veel mensen die een sportblessure hebben, is zwemmen een goed alternatief. Dat geldt ook voor mensen met (behoorlijk) overgewicht. Met zwemmen ontzie je je gewrichten en wervelkolom. Je beweegt wel. Zeker als je wat langer zwemt, verbrand je absoluut vet. In de zomer is het heerlijk in het water!

'Junk food satisfies you for a minute, staying fit for your life'

TIP 20 Slanke zomertip: Vet verbranden en spieren krijgen doe je zo

Je verbrandt nergens zoveel kcal mee als met duursporten. Langdurig, matig intensief sporten werkt daarvoor het beste. Op de lange termijn heb je echter heel veel baat bij spieropbouw. Als je meer spieren hebt, is je verbranding hoger en blijf je beter op gewicht. Spieren opbouwen krijg je weer sneller door intensieve krachttraining. Eigenlijk is een combinatie van beide dus het beste advies. Vraag een sportschool of personal trainer advies voor krachttrainingsoefeningen.

Als je gaat hardlopen, kan het enorm helpen om ergens naartoe te werken. Het hele jaar door worden er hardloopwedstrijden georganiseerd. Begin niet

Omeletrolletjes

- 3 eieren
- scheutje melk
- peper en zout
- 1 el olijfolie
- 1 pot gemarineerde artisjokkenharten
- blaadjes sla
- 4 plakjes kalkoenfilet

Klop de eieren los met melk en peper en zout. Verhit de olie in een grote koekenpan met anti-aanbaklaag en bak het eimengsel 2 minuten per kant tot een omelet. Laat afkoelen. Snijd de artisjok in reepjes. Beleg de omelet met de sla, kalkoenfilet en artisjok. Rol de omelet op en snijd in stukjes. Maak de omeletrolletjes vast met een prikker.

meteen met een hele marathon, maar stel jezelf een realistisch doel voor ogen: 5 kilometer is een prima begin. Kijk bijvoorbeeld eens op www.hardloopkalender.nl voor meer informatie over een evenement bij jou in de buurt.

5 tips voor hardlopen in de zomer

- In de vroege ochtend en avond is het een stuk koeler
- Train in het bos, onder de verkoelende bomen
- Vermijd warm asfalt. Asfalt kan veel warmte afscheiden
- Beperk het gebruik van koffie, thee en alcohol op warme zomerdagen. Deze drankjes zorgen voor een snellere vochtafvoer
- Kijk op www.runinfo.nl/hardloopschema.htm voor diverse hardloopschema's

Rennen met Evy

Wat is er in de warme lente- en zomermaanden nou lekkerder dan buiten hardlopen, waar en wanneer jij dat wilt? Vind je het moeilijk om die eerste beginnershorde te nemen, schakel dan de hulp in van Evy, een Vlaamse serie podcasts waarin Evy Gruyaert je begeleidt, tips geeft en aanmoedigt om van 0 naar 5 kilometer te leren rennen. Zij zorgt voor een goede opbouw en helpt je door je moeilijke momenten heen. www.rennenmetevy.nl

'Of course
it burns, but
complaining won't
make you look
good naked'

TIP 21

Slanke zomertip:
Stofzuigend richting bikini

Wil je wel calorieën verbranden, maar heb je geen tijd of zin om naar de sportschool te gaan? Geen nood, met je dagelijkse bezigheden kom je ook al een heel eind. Door overdag actief te zijn, raak je haast ongemerkt al heel wat pondjes kwijt. Zo heb je met een halfuurtje stofzuigen dat onweerstaanbare softijsje al helemaal verbrand, kijk zelf maar:

Top 5
calorieverbranding

10 minuten traplopen:
93 calorieën

10 minuten grasmaaien:
64 calorieën

10 minuten vloer schrob-ben:
41 calorieën

10 minuten stofzuigen:
9 calorieën

10 minuten ramen lappen:
37 calorieën

[bron: http://www.caloriecalculator.nl]

'Never throw in the towel, use it to wipe off the sweat and keep going'

Je resultaat na week 6

**Jij komt en blijft in beweging. Letterlijk en
figuurlijk. Op weg naar succes!**

Challenge jezelf

**Twijfel je nog? Stel jezelf deze
3 vragen:**

1. Welke sport vond je vroeger
leuk?
2. Wat houdt je tegen om
dat weer op te pakken?
3. Hoe zou het zijn als je
ervoor gaat?

En... actie!

Week
7

KEEP ON GOING

Nooit meer op dieet en toch blijvend resultaat

Als ik vroeger na een dieet (bijna) mijn streefgewicht had bereikt, was ik superblij. Ik was (soort van) slank en ik mocht eindelijk stoppen met de menu's of shakes. Als ik dan weer lekker aan de wijntjes en chocola ging – want dat 'mocht' weer – verviel ik meestal vrij snel weer in mijn oude patronen. Dat komt omdat een dieet bestaat uit rigide eetregels en alleen gericht is op het aanpassen van je eetpatroon. Doorbreek je die regels, dan denk je al snel *what the hell*, je wordt rebels en geeft op. Bovendien ben je sowieso niet bezig met je 'dikke gewoontes en gedachten', laat staan met genieten van lekkers, de Grote Vijf tegen eetdrang, omgaan met tegenslagen en sporten.

Ik ben er heilig van overtuigd dat je eetpatroon slechts een onderdeel is van de verandering die je doormaakt als je afvalt en vooral slank blijft. Slank-zijn heeft veel meer te maken met je mindset: het gaat om eigen verantwoordelijkheid nemen, uit je slachtofferschap stappen, je afhankelijkheid van rigide eetregels afschudden, keuzes maken, positief denken en echt goed voor jezelf zorgen. Jij mag alles, jij wilt niet langer te veel eten, jij kiest slank-zijn. Kortom: zelf in actie komen en de regie pakken is het enige wat werkt als je niet alleen slank wilt worden, maar ook wilt blijven. Je hebt de inzichten, tools en vaardigheden daarvoor in deze challenge meegekregen. Die laat je toch niet los na deze 8 we-ken? Dat zou pas echt zonde zijn! Nee zeggen tegen overeten is zoveel leuker dan te veel eten.

*

Keep on going – Mindset
Je slanker voelen heeft niet zoveel te maken met je gewicht, maar vooral met wat je doet

Afvallen is leuk (als je in actie komt en je eigen keuzes maakt)
Als je deze challenge actief meegedaan hebt, dan voel je je onge-twijfeld veel sterker: actief, slanker, *in control* én kun je zonder

schuldgevoel genieten van lekker eten. Kortom: dan vind je afvallen gewoon leuk! De kans is ook groot dat je nog niet helemaal op je streefgewicht bent. Sta hier even bij stil: je bent nog niet op je streefgewicht en voelt je al wel actief, slanker, vrijer en in control. Je voelt je dus veel beter, ongeacht je gewicht. Kortom: Slanker voelen wordt vooral beïnvloed door wat je doet; door je gedrag. En dat is heel goed nieuws. Want dat 'slanke' gedrag ben je nu juist aan het leren. En als je daarmee blijft oefenen, wordt dat je normale manier van doen en voel je je dus meestal goed over je spiegelbeeld. Kortom: gun jij jezelf dit goede gevoel? Dan blijf je in actie komen, dan kies je blijvend voor: niet al het lekkers, wel het allerlekkerste. Tijdens deze achtweekse challenge en daarna!

.... ☀ ....

Keep on going – Bikiniopdrachten
Kies je eigen vervolg

....

OPDRACHT
18

Pak een pen en papier en leef je in... wat wordt het?

Voor de bikiniopdracht van deze week heb je papier en pen nodig. Ik wil graag dat je de volgende vragen beantwoordt (antwoorden opschrijven). Het is de kunst je echt in te leven in de geschetste situatie. Je probeert twee scenario's uit (direct meedoen werkt het beste: niet eerst spieken).

Na de Bikini Challenge stop je met het doorbreken van je 'dikke' gewoontes, je valt min of meer terug in oude patronen, je eet weer zoals je altijd deed (voor de Bikini Challenge). Je kiest dus niet echt voor afvallen en slanker zijn. Over het algemeen rommel je wat aan, af en toe probeer je wel strenger te zijn. Meestal (te vaak) eet je te veel of niet gezond.

Vraag 1: hoe ziet het er dan twee weken na vandaag uit? Probeer je in te leven (doe desnoods je ogen dicht). Je kiest dus niet echt voor het afvallen en slank-zijn, je doet het half of niet. Hoe sta je er twee weken na vandaag voor? Hoeveel weeg je? Wat eet je? Hoe voel je je? Hoe zie je eruit? Welke kleding draag je? Hoe

Makreelwraps

- ½ gerookte makreelfilet
- 25 g light roomkaas
- 1 el magere yoghurt
- ½ tl mierikswortel (potje)
- ½ el kappertjes
- paprikapoeder
- peper en zout
- 1 grote zachte tortilla's
- 1 handje sla, in reepjes
- ½ paprika, in lange repen
- 1 tomaat, in reepjes

Trek de makreelfilets met een vork in stukjes. Meng de roomkaas met de yoghurt, mierikswortel, kappertjes en paprikapoeder. Breng op smaak met peper en zout. Bestrijk de tortillas met het roomkaasmengsel en verdeel de sla, makreel en paprika erover. Rol de tortilla's op en snijd ze doormidden.

reageren anderen op je?
Hoe voel je je op het strand?
Noteer je antwoorden.

Vraag 2: twee maanden na vandaag?

Leef je opnieuw in. Je kiest dus niet echt voor het af-vallen en slank-zijn, je doet het half of niet. Hoe sta je er twee maanden na vandaag voor? Hoeveel weeg je? Wat eet je? Hoe voel je je over jezelf, je gewicht, je eet-patroon? Hoe zie je eruit? Welke kleding draag je? Hoe reageren anderen op je? Hoe voel je je op het strand? Wat doe je aan sport? Noteer je antwoorden.

Vraag 3: een halfjaar na vandaag?

Je maakt een grote sprong. Leef je in. Je kiest nog steeds niet echt voor afval-len en slank-zijn, je doet het half of niet. Hoe sta je er over een halfjaar na van-daag voor? Welke maand

Sandwich rauwe ham

- 1 el magere kwark
- 1 tl honing
- peper en zout
- 2 bruine boterhammen
- 150 g aardbeien
- 50 g rauwe ham

Meng de kwark met ho-ning en breng op smaak met peper en zout. Maak de aardbeien schoon en snijd ze in plakjes. Besmeer de boterham-men met kwark en beleg ze met rauwe ham en aardbeien.

leef je inmiddels? Hoeveel weeg je?
Wat eet je, drink je? Hoe voel je je over
jezelf, je gewicht, je gezondheid? Hoe
zie je eruit? Welke kleding draag je? Hoe
reageren anderen op je? Wat doe je aan
sport? Noteer je antwoorden.

Vraag 4: en twee jaar na vandaag?

Je maakt nu in gedachten een reuzensprong naar vandaag over
twee jaar. Je bent in het jaar 20... Wow. Je hebt nooit echt gekozen voor afvallen en slank-zijn. Je doet het half of niet. Hoe sta
je er over twee jaar voor? Hoe ziet je leven eruit, is er veel veranderd? Wat voor werk heb je? Hoeveel weeg je inmiddels? Wat eet
je zoal? Hoe voel je je over jezelf, je gewicht, je gezondheid? Hoe
zie je eruit? Welke kleding draag je? Hoe reageren anderen op je?
Wat doe je aan sport? Noteer je antwoorden.

We gaan nu terug naar vandaag
en starten met scenario 2

'When you feel
like quitting, think
about why you
started'

Scenario 2
je gaat er
helemaal voor

Na deze challenge ga je 100 procent zeker verder met het doorbreken van je 'dikke' gewoontes, je hebt de regie of herpakt die als het nodig is. Je kiest helemaal voor afvallen en slanker zijn.

Vraag 1: hoe ziet het er dan twee weken na vandaag uit?
Probeer je in te leven (doe desnoods je ogen dicht). Je kiest dus helemaal voor afvallen en slanker-zijn, je pakt de regie. Hoe sta je er twee weken na vandaag voor? Hoeveel weeg je? Wat eet je? Hoe voel je je? Hoe zie je eruit? Welke kleding draag je? Hoe reageren anderen op je? Hoe voel je je op het strand? Noteer je antwoorden.

Vraag 2: twee maanden na vandaag?
Leef je wederom in: Je kiest helemaal voor afvallen en slanker-zijn, je pakt de regie. Hoe sta je er twee maanden na vandaag voor? Hoeveel weeg je? Wat eet je? Hoe voel je je over jezelf, je gewicht, je eetpatroon? Hoe zie je eruit? Welke kleding draag je? Hoe reageren anderen op je? Hoe voel je je op het strand? Wat doe je aan sport? Noteer je antwoorden.

Vraag 3: een halfjaar na vandaag?
Je maakt een grote sprong. Leef je in: Je kiest nog helemaal voor afvallen en slanker-zijn, je pakt de regie. Hoe sta je er over een halfjaar na vandaag voor? Welke maand leef je inmiddels? Hoeveel weeg je? Wat eet je, drink je? Hoe voel je je over jezelf, je gewicht, je gezondheid? Hoe zie je eruit? Welke kleding draag je? Hoe reageren anderen op je? Wat doe je aan sport? Noteer je antwoorden.

Vraag 4: en twee jaar na vandaag?

Je maakt nu in gedachten een reuzensprong naar vandaag over twee jaar. Je bent in het jaar 20... Wow. Je hebt echt helemaal voor afvallen en slanker-zijn gekozen, je pakt nog altijd de regie. Hoe sta je er over twee jaar voor? Hoe ziet je leven eruit, is er veel veranderd? Wat voor werk heb je? Hoeveel weeg je inmiddels? Wat eet je zoal? Hoe voel je je over jezelf, je gewicht, je gezondheid? Hoe zie je eruit? Welke kleding draag je? Hoe reageren anderen op je? Wat doe je aan sport? Noteer je antwoorden.

Tabouleh

- 75 g couscous
- 1 rode ui
- 2-3 rijpe tomaten
- 2 el peterselie
- 2 el munt
- 1 el gedopte pistaches
- 3 el granaatappelpitjes
- olijfolie extra vierge
- citroensap
- peper en zout

Wel de couscous in bouillon. Snijd de rode ui en de tomaten in stukjes en hak de peterselie en de munt fijn. Mix alle ingrediënten met magere feta en besprenkel met olijfolie, citroensap, zout en peper.

Laat de uitkomsten van de twee scenario's rustig op je inwerken. Lees ze de komende dagen nog eens door. Je hoeft er nu niets mee te doen. Allebei de scenario's zijn een reële optie.

OPDRACHT 19

Kies je scenario

Welk scenario kies jij na deze challenge? Dat is de kernvraag van deze week. Bedenk dat ergens helemaal voor gaan of juist half allebei consequenties heeft. Je hebt nu de keuze. Wat kies jij?

'Afvallen is kiezen: nu eten of straks dat bikinilijf'

Tomaten-groentekick

- ½ oranje paprika
- 1 lente-ui
- 1 stengel bleekselderij
- 200 ml tomatensap
- zout
- paar druppels tabasco
- 250 ml ijskoud mineraalwater met koolzuur

Verwijder de zaadlijsten van de paprika en snijd in stukjes. Snijd de lente-ui in ringetjes en de bleekselderij in stukjes. Pureer met de staafmixer de groenten en het tomatensap. Voeg een snufje zout en tabasco toe. Schenk het mineraalwater bij het sap. Schenk in een glas en serveer meteen.

'You haven't failed until you quit trying'

Zij is al zomerproof

Keep on going
De beste tips & trucs

 TIP 22

Slanke zomertip:
Eén keer per dag nee
houdt de kilo's away

Handige vuistregel om te bedenken hoe je ervoor staat (of om de controle terug te pakken). Zeg je elke dag nog wel één keer nee tegen iets wat je wel lekker vindt of waar je best zin in hebt? Dan ben je nog op de goede weg. Je hebt voldoende regie om op gewicht te blijven. Om af te vallen is vaker dan één keer per dag 'nee' nodig.

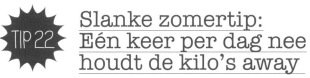 **TIP 23**

Slanke zomertip:
Bekijk je collage dagelijks en
pas hem aan als je dat wilt

Om je langetermijndoel *top of mind* te houden kan het werken om dagelijks even te kijken naar de collage van je ideaalbeeld. Hang of leg hem naast je bed, installeer hem als screensaver, etc. Bepaal één keer in de week of hij nog voldoet. Het kan best zijn dat je tot nieuwe inzichten bent gekomen, zodat andere woorden of plaatjes beter passen. Dat is prima. Afvallen is niet statisch. Het is een proces; je verandert, je leert, je maakt fouten, je staat weer op. Pas aan wat jij wilt. Het belangrijkst is dat je doel *top of mind* blijft en dat je echt blij wordt als je ernaar kijkt.

TIP 24

Slanke zomertip:
Verwar honger niet met dorst

Heb je toch nog best vaak trek of honger? Grote kans dat je dorst met honger verwart. Drink voortaan dan eerst wat. Neem een kop thee of glas water. Grote kans dat je 'trek' overgaat.

'Don't give up what you want most for what you want now'

Je resultaat na week 7

**Jij zet door, ook na je Bikini Challenge.
Jij wordt en blijft slank!**

Challenge jezelf

**Twijfel je nog? Stel jezelf deze
2 vragen:
1. Wat moet er gebeuren
zodat jij doorgaat?
2. Wat kun jij daar nu aan
doen?**

En… actie!

Week 8

ZOMERPROOF

Geweldige jurkjes en goeie keuzes

Ik ben nu slank. Ik eet veel minder dan vroeger, zonder frustratie. Ik ben dus veel relaxter met eten, meer tevreden. De 'begerigheid' die bezit van me kon nemen als er iets lekkers in de buurt was, heb ik vrijwel nooit meer. Ik denk meestal: *ja, dat is dan wel lekker, maar wil ik het nu echt?* Want: als ik al het lekkers eet wat voorbijkomt, ben ik zo weer dikker. Kate Moss zei ooit: 'Niets smaakt zo lekker als slank-zijn" Die uitspraak helpt me weleens bij een buffet of hapjestafel. Ik ben ook niet langer 'bang' om iets te missen. Het: *dit is je kans, eet alles wat los en vast zit nu het kan, straks moet je weer streng zijn*, is weg. Het alles-of-niets-denken, oftewel het dieetdenken, is uit mijn basissysteem. Ik eet alles wat ik wil, alleen niet alles nu.

'Zomerproof-zijn gaat absoluut niet over gewicht. Of je nu wel of geen bikini draagt; het gaat om wat je dóét'

Ik ben slank en ik weet dat ik nooit meer dikker word. Ja, weleens een kilo, en in het allerergste geval misschien een kilo of twee à drie. Maar verder dan dat laat ik het niet meer oplopen. Dan zit ik weer in de 'arme ik'-machteloosheid en dat wil ik nooit meer als het gaat om eten en drinken. Ik bepaal wat en hoeveel ik eet en dus hoeveel ik weeg. Dat gevoel van regie in combinatie met mijn spiegelbeeld, de jurkjes die ik draag, de strakke spijkerbroeken die ik pas en de energie die ik heb, maakt dat ik sprankel. Dat is zomerproof! Zomerproof zijn gaat dus absoluut niet over je gewicht en of je nu wel of geen bikini draagt. Het gaat om wat je doet. Of je blij bent met je eetkeuzes en met jezelf en dus of je straalt. *Willen zonder doen blijft dromen.* Jij kunt het ook. Pak de regie en geniet van het zomerproof-zijn.

Zomerproof – Mindset
Yes, ik kán het!

Blij in bikini. En nog lang daarna

Je kunt het. Dat is de laatste en allesbeslis-
sende mindset-doorbraak van deze challenge. Jij kunt zomerproof zijn. Al heb
je tijdens de Bikini Challenge maar
één dag keuzes gemaakt en minder
gegeten; dan is dat al een bewijs. Als je
blijft oefenen om die periode van keuzes maken steeds verder te stretchen,
blijf je steeds langer zomerproof. Je
ervaart bovendien steeds meer voor-
delen van slanker-zijn: je krijgt meer
energie, voelt je fitter, bent gezonder en zelfverzekerder. Zo wordt regie pakken steeds makkelijker: dat
is de positieve vicieuze bikinicirkel.
Ik hoop dat je ervoor kiest in die
cirkel te stappen. Dat vergt beginnen, overwinnen en volhouden.

'I'm just a summer kind of girl'

Ik weet dat jij het kunt; slanker worden en
zomerproof zijn. Ik hoop dat jij dat inmiddels ook gelooft. Dan
zien we elkaar deze zomer wel op het strand. In bikini of badpak
lekker genieten van een glas koude, witte wijn. Proost!

·································· ❋ ··································

Zomerproof – Bikiniopdrachten
Vier je successen & bestendig ze

··

Maak je persoonlijke trots-top 20

OPDRACHT 20

Je hebt in de Bikini Challenge een hoop successen geboekt. Het is belangrijk daarbij stil te staan. Successen moet je vieren! Een succes is zeker niet alleen resultaat op de weegschaal. Een succes is ook inzicht krijgen, ervaringen opdoen, milder voor jezelf zijn, in actie komen (eventueel na twijfel), opstaan na een tegenslag, etc. Noteer hieronder een lijst van minimaal 20 successen (grote en kleine) van de afgelopen weken:

1.
2.
3.
4.
5.
6.
7.
8.
9.
10.
11.
12.
13.
14.

15. ....

16. ....

17. ....

18. ....

19. ....

20. ....

Vergeet je eyeopeners niet (zoals: streng zijn is onzin, honger gaat over, me-time is onontbeerlijk, vul maar in...)

OPDRACHT 21

Wat zijn je belangrijkste eyeopeners deze challenge? Wat heb je geleerd, welke oneliners wil je nooit meer vergeten? Noteer al je eyeopeners op de achterkant van je ideaalbeeld. Dan kun je ze altijd even nalezen.

Herhaal: 'Ik ben zomerproof – ik ben zomerproof – ik ben zomerproof'

OPDRACHT 22

De laatste opdracht is om deze week elke ochtend als je onder de douche staat tegen jezelf te zeggen: *Zomerproof zijn is een kwestie van doen. Ik ben zomerproof.* Ook al voelt dat raar of gek of stom. Probeer het maar eens. Het zet je in de richting van het strand!

............................⁎............................

Zomerproof
De beste tips & trucs

....

Slanke zomertip:
Help, I need somebody (nee dat is geen klagen)

Als je het (nu of straks) toch moeilijk hebt, is hulp vragen mis- schien wel het meest effectief. Zoek een coach, doe een cursus, bel een vriendin: 'Wat zou jij doen in mijn situatie? Kun je me adviseren of een tip geven? Kunnen we even kletsen? Ik wil echt graag minder eten, wil je me steunen dit etentje?' Et cetera.

Al je vriendinnen willen je vast en zeker helpen als je een concrete hulpvraag hebt (en dat is iets anders dan klagen hoe zwaar het allemaal is). Stap over die drempel heen: stel je kwetsbaar op. Je vindt het moeilijk. Dat is logisch. Als afvallen makkelijk was, was iedereen slank. Gebruik de frisse blik ervaring en/of expertise van een ander… Geen vriendin in de buurt? Op www.miekekosters.nl schrijf je je in voor een gratis Facebookworkshop, de inspira- tiemail en/of (betaalde) emailcursus. Dan kom je in contact met medeafvallers (of coaches) en kun je altijd hulp vragen als dat nodig is.

'Een opgever wint nooit, een winnaar geeft nooit op'

Slanke zomertip: Kies een eigen zomerproof-symbool (ring, gedicht, liedje: kan allemaal)

Wil je het gevoel van deze challenge graag vasthouden? Wat daarbij helpt is het kiezen van een zomerproofsymbool. Bij voorkeur iets wat je vaak ziet of draagt. Bijvoorbeeld een armbandje (met olifantje?), een dierbare ring, een zomers jurkje, je flip-flops. Het mag ook een liedje zijn, een gedichtje of een quote. Koppel het in gedachten aan je successen tijdens deze challenge en aan je eigen gevoel. Als jij naar dat symbool kijkt, denk je positief en blijf je zomerproof.

Italiaanse bruschetta met cherrytomaatjes

- 4 cherrytomaatjes
- 1 rode ui
- 1 ½ el olijfolie extra vierge
- 3 el basilicum
- zout
- 1 teentje knoflook
- 4 plakjes bruin stokbrood
- 2 el olijfolie

Snijd de tomaatjes in vieren en verwijder de zaadjes. Snipper de ui fijn. Meng de ui met tomaatjes, extra olijfolie en basilicum. Breng het op smaak met zout. Halveer het teentje knoflook. Grill de plakjes stokbrood aan beide kanten in de grillpan tot er bruine strepen ontstaan. Wrijf met de snijkant van het teentje knoflook over de plakjes stokbrood en bedruppel met olijfolie. Schep het tomatenmengsel op de bruschetta

Slanke zomertip: Geniet van je vakantie (en van die crêpe met Nutella)

TIP 27

Jij gaat dit jaar zomerproof op vakantie! Hoe leuk is dat! Nu is een vakantie natuurlijk wel een bijzondere situatie. Je eet andere dingen, leeft anders, beweegt anders. Wellicht ben je bang de regie weer helemaal kwijt te raken deze vakantieperiode. Dat hoeft helemaal niet met deze top 5 vakantietips:

Griekse salade

- 2 tomaten
- 1 paprika, groen
- 1/2 komkommer, geschild
- 1 rode ui
- 2 el olijfolie
- 30 g magere feta
- handje olijven
- oregano
- peper en zout

Snijd de tomaten in stukken, de paprika in repen, de komkommer in halve plakjes, de ui in halve ringetjes en de feta in blokjes. Doe alles in een schaal en meng het. Strooi er peper, zout, oregano en olijven overheen en een scheutje olijfolie.

1. Bepaal een nieuw doel speciaal voor deze vakantie. Wil je verder afvallen, op gewicht blijven, maximaal 1 kilo aankomen? Afhankelijk van je doel, eet je iets meer of minder.

2. Maak ter voorbereiding een keer een voorbeelddag met eten uit het land waar je naartoe gaat (inclusief kcal). Dan weet je een beetje waar je aan toe bent. Een goede voorbereiding is het halve werk.

3. Genieten is niet hetzelfde als overeten deze vakantie. Je weet al dat je veel meer geniet van lekker eten als je bewuster kiest voor het allerlekkerste. Dat geldt ook op vakantie. Je voelt je veel beter als je niet propvol 'te moe' bent om te beachballen met je kinderen. Dus: croissantje bij het ontbijt? Een lichte salade bij de lunch. Een crêpe met Nutella? Jij laat wat frietjes liggen 's avonds. En ga je voor de koude wijntjes tijdens de zonsondergang? De toastjes met brie neem jij morgen wel.

'There's no giant step that does it, there's a lot of little steps'

4. Vergeet je sportschoenen niet. Misschien ben je het niet gewend, maar sporten tijdens de vakantie is heerlijk. Je voelt je beter, pakt makkelijker de regie en geniet van het sporten zelf. Hardlopen langs de zee, baantjes zwemmen in het blauwe bad, wandelen, tennissen of beachballen: ook op vakantie blijf jij lekker energiek.

5. Neem je toch te veel frietjes, hapjes en roseetjes? Roept de chocoladecroissant bij het ontbijt: 'Eet mij, eet mij nú'? Tsja. Dat kan gebeuren. Ook op vakantie. En waar je dan ook bent op de wereld, de oplossing: neem even tijd voor jezelf. Vakantie is er om te ontspannen, maar een goede balans vinden is soms best even lastig in zo'n andere situatie. Sta dus stil bij je eetdrang: waar komt die vandaan? Waar heb je echt behoefte aan? Aan overeten niet. Niet echt in ieder geval. Zorg dus voor jezelf, ook

op vakantie. Herpak de regie op je eetgedrag door in actie te komen: zeg minimaal één keer per dag nee, houd weer even een dag bij wat je nu precies eet en besteed aandacht aan De Grote Vijf tegen eetdrang. Dan ben jij er zo weer bovenop en vervolg je zomerproof de rest van je reis!

Weet wat je eet op vakantie!
Ook op vakantie heb je zelf in de hand wat je eet. Het is natuurlijk bij uitstek een moment om te genieten en nieuwe dingen uit te proberen, maar onthoud dat jij, waar je ook bent, de touwtjes in handen hebt. Ben je je bewust van wat je eet, dan is het veel makkelijker om te kiezen. Een korte indruk van buitenlandse lekkernijen en hun caloriegehalte:

Italië
- Focacciabroodje met parmezaan, rucola en dressing: 412 kcal
- Bord pasta met saus van crème fraîche, olijven, citroen en pecorino: 400 kcal
- Pizza alle verdure: 451 kcal
- Cantuccinikoekje: 45 kcal
- 1 glaasje grappa: 85 kcal

Frankrijk
- Croissant: 214 kcal
- Croque monsieur: 476 kcal
- 1 glas rode wijn: 67 kcal
- Salade Niçoise: 488 kcal
- 1 Bonne Maman-madeleine-cakeje: 100 kcal

Griekenland
- Caffe frappe: 82 kcal
- Kaastaartje: 271 kcal
- 1 portie tzaziki: 60 kcal
- 1 portie moussaka: 103 kcal
- 1 glaasje ouzo: 91 kcal

Spanje
- Café con leche: 74 kcal d
- 1 *churro* met suiker: 115 kcal
- Warme chocolademelk om in te soppen: 79 kcal
- 1 kop gazpacho: 46 kcal
- 100 gram Serranoham: 247 kcal

Je resultaat na week 8
Jij bent zomerproof!
Deze zomer én alle zomers hierna

Challenge jezelf

Twijfel je nog? Stel jezelf deze 3 vragen:
1. Hoe wil jij je voelen over jezelf?
2. Wat heb je ondernomen om dat te bereiken?
3. Wat kun je nog meer doen?

En... actie!

'If you don't challenge yourself, you will never realise what you can become'

'Afvallen zonder dieet.
Het kan echt!'
– Flair

'Deze methode doet in
niets aan frustrerende
diëten denken.'
– Trouw

'Kilo's afvallen zonder
iets te laten staan: een
moorkop brengt de
wereldvrede niet in
gevaar.'
– Het Parool

Vanaf haar vijftiende was Mieke Kosters met lijnen bezig. Maar afvallen en op gewicht blijven lukte pas echt toen ze haar slanke vriendinnen ging observeren: hoe konden zij wel bitterballen eten en toch in maatje 38 passen? Mieke kopieerde het 'slanke' eetgedrag en werd – met elke dag chocola en wijn – 15 kilo lichter. Mieke ontwikkelde een methode waarin je ontdekt hoe je de regie op je eetgedrag pakt: Alles mag! Je wilt niet langer te veel eten. Jij kiest bewust voor afvallen en slank(er) blijven. In *Het geheim van slanke mensen* ontdek je hoe ook jij kunt eten wat je wilt... en afvallen!

www.miekekosters.nl
www.facebook.com/afvallen
www.twitter.com/MiekeKosters

Isabel: 'Ik ben milder voor mezelf. Ik geniet nu van lekker eten zonder schuldgevoel.'

Susanne: 'Wie had dat gedacht: ik heb discipline! Ik blijf slank.'

Peter: 'Afvallen met bier en bitterballen. Ik geloofde niet dat het kon, maar het kan écht! Ik ben twaalf kilo afgevallen.'

Afvallen zonder dieet een fabeltje? In *Ik ken mezelf en ben slank* legt Mieke Kosters uit hoe je slank(er) wordt en blijft met het eten en drinken dat jij het allerlekkerst vindt.

Toch weer die zak chips leeg
Iedereen weet wel hoe je afvalt: minder eten en meer bewegen. Maar waarom doe je het niet of houd je het niet vol? Waarom neem je in gezelschap toch weer te veel wijntjes of gaat die zak drop leeg als je alleen bent? Waarom zet je die knop niet om?

Welke gedachten zorgen ervoor dat jij niet afvalt?
In *Ik ken mezelf en ben slank* (h)erken je welke 'saboteurs' jou dwarszitten bij het afvallen: zit er een Prinses in je die niet houdt van 'dat moeilijke gedoe'? Of een Angsthaas die zeker weet dat 'het deze keer ook niet gaat lukken'? Buig die gedachten om en word slank zonder frustratie.